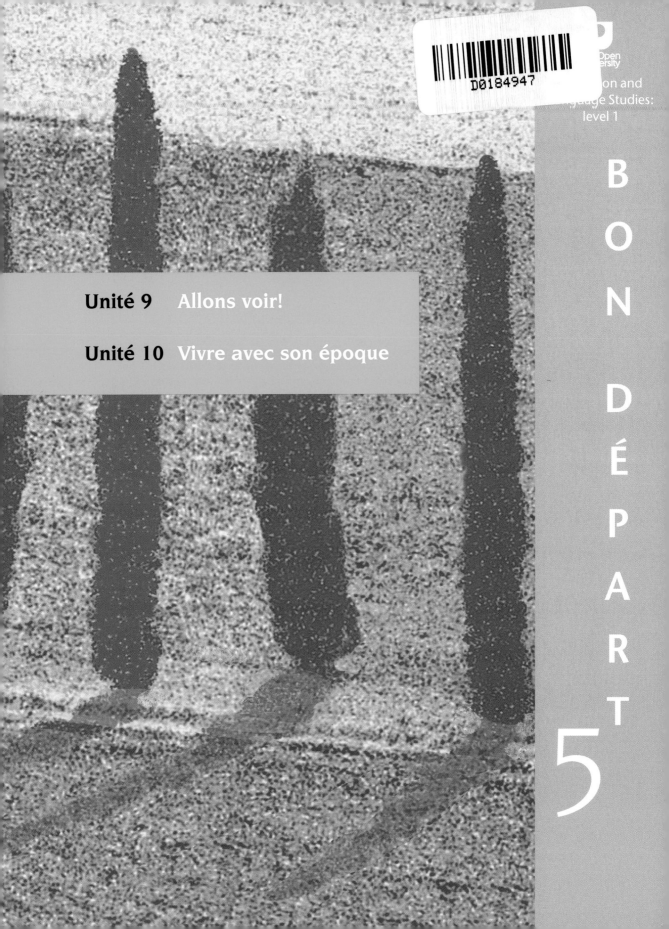

The Open University

...on and
...guage Studies:
level 1

Unité 9 Allons voir!

Unité 10 Vivre avec son époque

BON DÉPART

5

This publication forms part of the Open University course L192/LZX192 *Bon départ: beginners' French*. Details of this and other Open University courses can be obtained from the Course Information and Advice Centre, PO Box 724, The Open University, Milton Keynes MK7 6ZS, United Kingdom: tel. +44 (0)1908 653231, e-mail general-enquiries@open.ac.uk

Alternatively, you may visit the Open University website at http://www.open.ac.uk where you can learn more about the wide range of courses and packs offered at all levels by The Open University.

To purchase a selection of Open University course materials, visit the webshop at www.ouw.co.uk or contact Open University Worldwide, Michael Young Building, Walton Hall, Milton Keynes MK7 6AA, United Kingdom for a brochure: tel. +44 (0)1908 858785; fax +44 (0)1908 858787; e-mail ouwenq@open.ac.uk

The Open University
Walton Hall, Milton Keynes
MK7 6AA

First published 2005. Reprinted with corrections 2006, 2007

Edited, designed and typeset by The Open University.

Printed and bound in the United Kingdom by Bell & Bain Ltd., Glasgow.

ISBN 0 7492 6528 0

1.3

Mixed Sources
Product group from well-managed forests and other controlled sources
www.fsc.org   Cert no. TT-COC-002769
© 1996 Forest Stewardship Council
FSC

The paper used in this publication contains pulp sourced from forests independently certified to the Forest Stewardship Council (FSC) principles and criteria. Chain of custody certification allows the pulp from these forests to be tracked to the end use (see www.fsc-uk.org).

C o n t e n t s

L192 course team

Open University team

Ghislaine Adams (course manager)

Liz Benali (course manager)

Graham Bishop (author)

Viv Bjorck (course team secretary)

Ann Breeds (course team secretary)

Michael Britton (editor)

Neil Broadbent (course team chair and author)

Valérie Demouy (author)

Annie Eardley (author)

Xavière Hassan (author)

Elaine Haviland (editor)

Stella Hurd (course team chair and author)

Marie-Noëlle Lamy (author)

Tim Lewis (course team chair and author)

Hélène Mulphin (course team chair (planning stage) and author)

Linda Murphy (critical reader)

Liz Rabone (lead editor)

Lesley Shield (author)

Pete Smith (author)

Production team

Ann Carter (print buying controller)

Jane Docwra (production administrator)

Gary Elliott (production administrator)

Pam Higgins (designer)

Tara Marshall (print buying co-ordinator)

Theresa Nolan (production assistant)

Jon Owen (graphic artist)

Deana Plummer (picture researcher)

Consultant authors

Kate Harvey-Jones

Marie-Claude Jourzac

Mary Culpan

Christine Brunton

Béatrice Le Bihan

Claire Ellender

Christine Arthur

Sophie Timsit

Anna Vetter

BBC production team

Kate Goodson (producer)

Dan King (editor)

Marion O'Meara (production assistant)

External assessor

Elspeth Broady (principal lecturer, School of Languages, University of Brighton)

Special thanks

The course team would like to thank everyone who contributed to *Bon départ*. Special thanks go to Philippe Smolikowski, Framboise Gommendy, Christine Sadler and Bernard Haezewindt who took part in the audio recordings.

9

Allons voir!

The ninth unit of B*on départ* focuses on talking about leisure activities such as going to the cinema, watching television and travelling. You will learn some of the structures necessary to talk about travel and specifically those required for hiring a car. You will also come across some useful language for extricating yourself from a difficult situation on the road.

Towards the end of the unit, you will learn how to tell a story about something that has happened to you.

VUE D'ENSEMBLE

Session	Key Learning Points
1	• Making suggestions, using *si* + imperfect tense • Using *le/la/l'/les* with the *passé composé* • Talking about films
2	• Pronouncing *-sion/-ssion* • Further use of *en* to replace *de/du/de la/des* + noun • Talking about television programmes
3	• Using *y* with the *passé composé* • Using *moi..., toi...,* etc. for emphasis • Practising intonation
4	• Giving opinions • Using familiar language
5	Practising what you have learned so far
6	• Giving and requesting information: car hire • Making polite requests • Talking about car hire
7	• Saying what is permitted or not permitted • Dealing with a difficult situation: arguing and and justifying your point of view
8	• Using verbs of movement with *à*, *en* and *de* • Using *on* to talk about yourself • Using *on* to make general statements
9	• Telling a story, using the *passé compose* and the imperfect tense • Using *lui* and *leur*
10	Practising what you have learned so far

Cultural information	Language learning tips
Les cinémas d'art et d'essai	Using films to improve your French
La télévision en France	
Les DOM-TOM Les jeux télévisés	
	Learning letters and numbers
Priorité à droite Le constat d'accident	

Christine is organising an evening out with Sylviane and Lucas.

Key Learning Points

- Making suggestions, using *si* + imperfect tense
- Using *le/la/l'/les* with the *passé composé*
- Talking about films

Activité 1 🎧 Extrait 1

tourné(e)
filmed, shot

1   Listen to Extract 1. Where do Christine and Lucas decide to go?
    Christine et Lucas décident d'aller où?

2   Read the following cinema schedules and answer the questions below.
    Lisez les quatre programmes de cinéma et répondez aux questions.

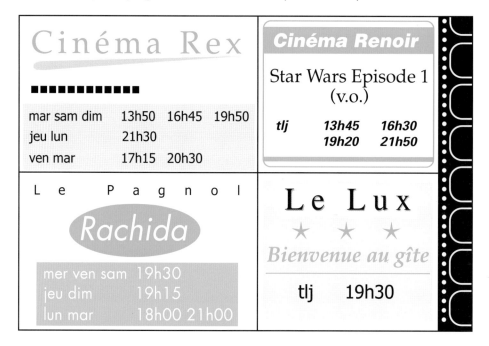

Cinéma Rex			
■■■■■■■■■■■■			
mar sam dim	13h50	16h45	19h50
jeu lun	21h30		
ven mar	17h15	20h30	

Cinéma Renoir
Star Wars Episode 1 (v.o.)

tlj	*13h45*	*16h30*
	19h20	*21h50*

Le Pagnol
Rachida

mer ven sam	19h30
jeu dim	19h15
lun mar	18h00 21h00

Le Lux
★ ★ ★
Bienvenue au gîte

tlj	19h30

Which abbreviation indicates that:

(a) a film has not been dubbed into French?

(b) the same programme is being shown throughout the week?

3   Match the two halves of each sentence.
     Trouvez la bonne fin pour chaque phrase.

(a) J'ai déjà...	(i) ... devant le cinéma.
(b) Je n'ai pas aimé...	(ii) ... tournée en Provence.
(c) J'ai horreur...	(iii) ... voir un film comme ça.
(d) C'est une comédie...	(iv) ... les acteurs.
(e) Je préfère...	(v) ... vu ce film-là.
(f) Je vous retrouve...	(vi) ... des films américains.

4   Now listen to Extract 1 again. Which speakers say the sentences in step 3?

5   Listen once more and tick which of the following phrases you hear.
     Cochez les bonnes phrases.

(a) (i)   Si on allait au cinéma.   ❏
    (ii) Si on appelait nos amis?   ❏
    (iii) Si on avait des billets gratuits?   ❏

(b) (i)   Nous pouvons sortir ce soir.   ❏
    (ii) Nous pourrions aller au restaurant.   ❏
    (iii) Nous pouvions voir un film.   ❏

(c) (i)   On pouvait sortir en ville.   ❏
    (ii) On pensait aller au théâtre.   ❏
    (iii) On pourrait prendre un pot.   ❏

6   What do you notice about the tense of the verb after *Si...* in the three
     phrases of (a) in step 5?

> **G1** **Making suggestions using 'si' + imperfect tense**
>
> In Unit 4, Session 6 you learned how to make suggestions using *On
> pourrait....* (You will cover the grammar of this phrase in Session 6 of this
> unit.)
>
> > *On pourrait aller au zoo de la Barben.*
>
> Another way to suggest doing something is to use *si* followed by the
> imperfect tense of the verb. (Check Unit 8, Session 8 if you need to revise
> the imperfect tense.)
>
> > *Si on allait au cinéma?*   How about going to the cinema?
> >
> > *Si on faisait une promenade?*   How about going for a walk?

Activité 2 🎧 Extrait 2

1. Some French friends are coming to stay with you for the weekend. Write five suggestions for what you might do together, using the *si* construction and the time phrase provided.

   Écrivez cinq phrases.

   > **Exemple**
   >
   > faire une promenade / cet après-midi
   >
   > *Si on faisait une promenade dans la forêt cet après-midi?*

   (a) aller au bord de la mer / ce week-end

   (b) jouer au tennis / demain

   (c) visiter le Pont du Gard / la semaine prochaine

   (d) aller au théâtre / samedi soir

   (e) regarder la télévision / ce soir

2. Listen to Extract 2, and respond following the prompts.

   Parlez dans les pauses.

   > **Exemple**
   >
   > **You hear**   *faire une promenade samedi*
   >
   > **You say**   *Si on faisait une promenade samedi?*

Activité 3 🎧 Extrait 3

elle joue très
bien
*she acts very
well*

tellement
really, so

1. Listen to Extract 3, in which Christine and her friends are talking about a film they've seen. What is the film about?

   Distinguez entre les jugements positifs et les jugements négatifs.

2. Which of the following statements contains a positive judgement and which a negative judgement?

	Positive	Negative
(a) C'est un très beau film.	❑	❑
(b) Les acteurs étaient vraiment naturels.	❑	❑
(c) Je l'ai trouvé ennuyeux.	❑	❑
(d) C'était génial.	❑	❑
(e) Ce n'est pas tellement authentique.	❑	❑

3   Listen to Extract 3 again. Make up three sentences from the following elements, to reflect accurately what Christine and her friends think of the film they have seen. Use all the words in the table.

Écoutez et construisez trois phrases.

(a) Lucas		la musique.
(b) Christine	a aimé	la photographie.
(c) Sylviane	n'a pas aimé	le film.

4   Pair each of the following words with its opposite from the box alongside. You will find one or the other of each pair in the transcript of Extract 3.

Cherchez les contraires.

intéressant	
beau	
gai	
sympathique	
simple	
naturel	
authentique	
facile	
superbe	

ennuyeux • exécrable • difficile • faux • compliqué • artificiel • désagréable • lugubre • laid

5   Look at the transcript of Extract 3 and identify the verbs in the *passé composé*. Underline them.

Regardez la transcription et soulignez les verbes au passé composé.

6   (a) Look at the following phrases from the transcript. What does *l'* refer to?

De quoi parlent-ils?

Je l'ai beaucoup aimé.

Je l'ai trouvé ennuyeux.

(b) Look in the transcript of Extract 3 and underline all other examples of *l'* used in front of a verb.

Trouvez les autres exemples.

In Unit 6, Session 7 you learned how to replace a noun with a pronoun placed in front of the verb. For example:

*Le TGV? Je **le** prends souvent.*

When using these pronouns with the *passé composé*, note:

- the position of the pronoun, immediately before *avoir*:

  *Le film? Je **l'**ai beaucoup aimé.* (*l'* refers to *le film* – *le* is shortened to *l'* before the vowel)

  *L'histoire? Je **l'**ai beaucoup appréciée.* (*l'* refers to *l'histoire* – *la* is also shortened to *l'*)

- the position of the pronoun when using the negative:

  *Je ne **l'**ai pas aimé.*

- that the past participle agrees with the preceding *le, la* or *les*:

  *La musique? Je **l'**ai trouvée très douce.* ('**e**' agreement with the feminine singular noun '*la musique*')

  *Les enfants? Je **les** ai adorés.* ('**s**' agreement with the masculine plural noun *les enfants*)

Pronunciation of past participles

The '*e*' added to a past participle as a feminine ending only alters the pronunciation if the participle ends in a consonant. For example:

Je l'ai prise. /prɪz/   I took it

Il l'a faite. /fɛt/   He has done it.

Feminine plural endings such as *prises* and *faites* are pronounced the same as feminine singular endings.

Ac tivit é 4

Answer the following questions, using *l'* or *les*. Remember the agreements. *Répondez aux questions.*

(a) – Vous avez fait la cuisine?   – Oui, je l'ai faite.

(b) – Vous avez vu le film?   – Oui, _____ .

(c) – Vous avez pris la photographie?   – Oui, _____ .

(d) – Vous avez aimé l'histoire?   – Oui, _____ .

(e) – Vous avez apprécié la musique?   – Non, _____ .

(f) – Vous avez regardé la pièce de théâtre?   – Non, _____ .

(g) – Vous avez lu les magazines de cinéma?   – Oui, _____ .

(h) – Vous avez mangé les chocolats?   – Non, _____ .

Activité 5 🎧 Extrait 4

Listen to Extract 4 and answer the questions using *l'* or *les*.

Écoutez l'extrait et répondez aux questions.

faire la vaisselle
*to do the
washing up*

Exemple

You hear Tu as fait la vaisselle? Oui _____ .

You say Oui, je l'ai faite.

USING FILMS TO IMPROVE YOUR FRENCH

Watching films in French can help you to:

* see how body language is used to communicate;

* learn about ways of life and behaviour of people in the French-speaking world;

* listen to the sounds and intonation patterns of the language.

You may wish to watch short sections of a film and to replay certain scenes. Use the images to help you. You can often guess what's going on from facial expressions and physical attitudes; you don't always need to understand every detail in order to grasp the storyline. It's best to focus on the basics, such as:

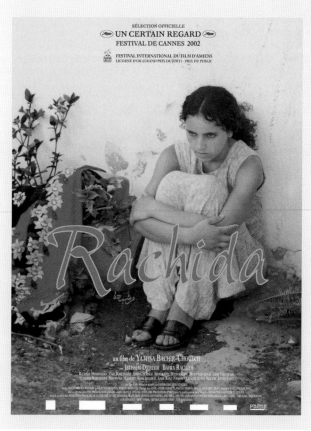

What is happening?
Who is involved in the action?
Where is it situated?
Why is it occurring?
When is it taking place?

Competing against the major cinema chains, often with their six or more screens, the *cinéma d'art et essai* (over 1,200 in France) has an important cultural role to play in towns. Often situated in the suburbs, it sees itself as upholding the true values of cinema as an expression of art which does not yield to commercial pressures.

CINÉMA REX

Le Studio du 7ème art

4, Avenue St Jacques – 13 000 CAEN
Programme répondeur : 08 36 77 01 35
tél. adm : 02 31 81 37 54

Tarifs
Normal : 5 €
Réduit : 4.10 €
Abonnés : 3.20 €

Groupes et scolaire (à partir de 25 personnes) 2.50 €

Salles accessibles aux personnes handicapées. Le REX est équipé en son numérique Dolby SRD et DTS.
Le cinéma REX est une association d'éducation populaire gérée par la loi 1901. Salle d'Art et Essai classée recherche et Cinémas Nouvelle Europe.

Yamina Bachir-Chouikh, réalisatrice de *Rachida*

Activité 6

Write a film review (approximately 50 words), along the lines of the following short description. Use the constructions you have seen in this session and include the points shown in note form below.

Rédigez un article sur un film.

Critique de cinéma

Sortie le 20 juillet

Bienvenue au gîte

COMÉDIE – FRANCE

Caroline et Bertrand abandonnent tout: leur travail, leur appartement, leur vie en ville – pour ouvrir un gîte en Provence. Mais quand ils arrivent, ce n'est pas exactement l'utopie… Le cinéaste Claude Dufy veut montrer la différence entre le rêve et la réalité. On se régale de cette comédie, légère et délicieuse, tournée dans une région magnifique. La photographie est ravissante et la musique est gaie.

- Titre
- Personnages
- Histoire
- Musique

- Cinéaste
- Endroit
- Photographie

Session 2

Sylviane and Lucas decide to spend the evening watching television, but they can't quite agree on the choice of programmes.

Key Learning Points

- Pronouncing -sion/-ssion

- Further use of *en* to replace *de/du/de la/des* + noun

- Talking about television programmes

Activité 7

1 Look at the TV listings opposite and identify the words which indicate that a programme is:

(a) a live broadcast.

(b) a repeat.

2 Match the French words in the left column below with their English equivalent in the right column.

Trouvez les équivalents.

(a) documentaire	(i) weather forecast
(b) jeu	(ii) documentary
(c) météo	(iii) variety show
(d) journal	(iv) reality TV
(e) divertissement	(v) cartoon
(f) variétés	(vi) news
(g) reportage	(vii) game show
(h) télé réalité	(viii) entertainment
(i) dessin animé	(ix) TV report

3 Make up in note form your own schedule between 6.00 pm and midnight from the various programmes given opposite. Include the title and time of each programme.

Préparez votre programme de télévision pour ce soir.

Exemple

18 35   19/20 – le Journal

20 05   E = M6 – un magazine scientifique

...

TF1	FRANCE 2	FRANCE 3
18.00 Le Biqdil Jeu	**17.45 Des chiffres et des lettres** Jeu	**18.00 Questions pour un champion** Jeu
	18.15 Tout vu, tout lu Jeu	
19.00 Star Academy Jeu	**18.50 On a tout essayé** Magazine	**18.35 19/20** **Journal national et régional**
19.45 *Les films dans les salles*	**19.50 Météo**	
19.55 Météo		
20.00 JOURNAL Présenté par Patrick Poivre d'Arvor	**20.00** JOURNAL Présenté par David Pujadas	**20.05** DIVERTISSEMENT **Le fabuleux destin de…** Divertissement
20.30 Football Lyon/Nice **Championnat de France** En direct		
	21.00 Envoyé Spécial Magazine. Reportage Le téléphone portable	**20.55 *L'arme fatale*** Film américain (1987) Policier
22.30 *Le placard* Film français (2000) Comédie	**22.35 La grande école des fans** Variétés	**22.40 Soir 3** Journal

CANAL +	FRANCE 5/ARTE	M6
18.00 Ça cartoon Dessins animés	**18.00 Le magazine de la santé**	**18.00 Lucky Luke** Dessins animés
18.40 Merci pour l'info (C)	**19.00 Les clés de la ville. Venise.** Reportage	**18.50 Smallville** Série. Déjà diffusé
19.55 Les Guignols (C)	**19.45 Arte Info** **Théma *Bretagne éternelle***	**19.50 Six/Météo**
20.40 SPORTS **Résultat des courses**	**20.30** FILM ***Chère Inconnue*** Film français (1979) Drame	**20.05** MAGAZINE **E = M6** Magazine scientifique
20.55 Nice people Télé-réalité		**20.55 J'ai décidé d'être belle.** Documentaire 1/3
22.40 24 heures chrono Série de suspense américaine	**22.25 Ils ont choisi la Bretagne…** Documentaire	**22.15 J'ai décidé d'être belle…et vous?** Débat

4 Suggest to Sylviane and Lucas what programmes you could watch based on the schedule you have just prepared. Try to speak for about 45 seconds, and make sure you use expressions such as *on pourrait...*, *il faut* and *si on regardait*.

Discutez le programme avec Sylviane et Lucas.

Exemple

Et si on regardait la télévision toute la soirée?

LA TÉLÉVISION EN FRANCE

There are six main TV channels (*chaînes de télévision*) in France. Three are state-run: France 2, France 3 and France 5/Arte – a combined channel where *Arte* shows only evening programmes and is a co-operative European venture with German television. The other three channels are commercial: TF1 (the main competitor of France 2), M6 (dedicated to music, sport and the cinema) and Canal + (pronounced 'Canal Plus'), which requires a TV decoder to enable you to watch its programmes.

Activité 8 Extrait 5

émission (f.)
programme

1 Listen to Extract 5, in which Sylviane and Lucas are discussing what television programmes they want to watch. Complete the grid with details of the programmes mentioned. (You will need to refer to the TV schedule in Activity 7.)

Remplissez le tableau.

Titre de l'émission	Type d'émission	Quelle chaîne?	À quelle heure?
		TF1	
	film		
			20 00
E = M6			
Soir 3			
		M6	20 55

2 Listen to the extract again, paying particular attention to the following phrases.

Écoutez bien les phrases suivantes.

Et si on regardait la télévision ce soir?

Il y a de bonnes émissions, tu sais.

Je peux regarder les informations?

Et après il y a une discussion sur les femmes.

What do you notice about the pronunciation of endings of words like 'télévision' and 'émission'?

G 3 Pronouncing -sion/-ssion

A single 's' is pronounced [z] when it occurs between two vowels within a word:

télévision *révision* *prévision*

A double 's' is always pronounced [s]:

émission *discussion* *profession*

The '*t*' in words like '*information*' is also pronounced [s].

prévision (f.)
forecast

Activité 9 🎧 Extrait 6 _____

1 Listen to Extract 6 and circle whichever word is said first in each of the following pairs.

Cochez le premier mot que vous écoutez.

télévision émission   provision prononciation

révision information   division discussion

prévision profession   décision mission

2 Record yourself saying these pairs of words and listen to your recording.

Enregistrez-vous.

Activité 10 🎧 Extrait 7 _____

c'est pas
= ce n'est pas

1 Listen to Extract 7, in which some people are talking about what they watch on television, and say whether the following statements are true or false.

Cochez 'vrai' ou 'faux'.

Les émissions de télévision: Qu'est-ce qu'ils en pensent?

	Vrai	Faux
(a) Le foot		
(i) Jean-Claude ne l'aime pas du tout.	❑	❑
(ii) Agnès l'a beaucoup aimé en 1998.	❑	❑
(b) Les séries américaines		
(i) Philippe en a horreur – il ne les regarde jamais.	❑	❑
(ii) Agnès les regarde souvent – elle se détend quand elle les regarde.	❑	❑
(c) Les documentaires		
(i) Jean-Claude ne les trouve pas intéressants et ne les regarde jamais.	❑	❑
(ii) Philippe les aime bien – il les regarde souvent sur Arte.	❑	❑
(d) Les infos (= informations = Journal télévisé)		
(i) Agnès les regarde sur France 2.	❑	❑
(ii) Maryse ne les regarde pas souvent.	❑	❑

2   Here are the four questions asked by the interviewer in Extract 7. Listen to the extract again and put them in the order in which they occur.

Remettez dans l'ordre les quatre questions posées?

(a) Est-ce que vous regardez les infos à la télé?

(b) Vous regardez beaucoup de documentaires?

(c) Qu'est-ce que vous pensez du foot à la télé?

(d) Les séries américaines à la télé, qu'est-ce que vous en pensez?

3   Compare the interviewer's first two questions. What does *'en'* stand for in her second question?

Quelle est la signification de 'en'?

> **G 4**   **Further use of 'en' to replace 'de/du/de la/des' + noun**
>
> In Unit 7, Session 7 you came across the use of *en* to replace *de* + noun:
>
> *Vous faites **du yoga**? – Oui, j'**en** fais.*
>
> Here are some more examples in which *en* replaces *de* + noun, avoiding repetition:
>
> *Les séries américaines, qu'est-ce que vous **en** pensez? (='Qu'est-ce que vous pensez **des séries américaines**?')*
>
> *Votre caméscope, vous **en** êtes contente? (='Vous êtes contente **de votre caméscope**?')*

Activité 11

Rewrite the following sentences using *en* to replace the words in bold.

Réécrivez les phrases.

Exemple

Vous rêvez **des vacances**? ? *Vous **en** rêvez?*

(a) Vous parlez souvent **de vos problèmes**?

(b) Vous êtes satisfait(e) **de votre nouvelle voiture**?

(c) Vous discutez souvent **de votre travail**?

Activité 12

Answer the four questions asked in step 2 of Activity 10, giving your own opinion. Record your answers.

Répondez aux quatre questions. Enregistrez-vous.

Session 3

While you are watching television with Christine, you recognise Nassera on a game show called *Le voyage de vos rêves*.

Key Learning Points

- Using *y* with the *passé composé*
- Using *moi...*, *toi...*, etc. for emphasis
- Practising intonation

Activité 13  Extrait 8

1 Listen to Extract 8, in which Nassera is competing in a TV game show. Who are the other two speakers in the conversation?

Qui participe avec Nassera à cet entretien?

2 Listen again and complete the grid.
Complétez le tableau.

Nassera ou Bernard?	
	a gagné la valise en cuir.
	a gagné le caméscope.
	a le trac.
	va très bien.
	va souvent en Guadeloupe.
Nassera	n'est jamais allée en Guadeloupe.
	en rêve depuis longtemps.

caméscope
camcorder

j'ai le trac
I'm nervous (or I've got stage-fright)

3   Complete the sentences to show what Bernard means by the following statements.

Complétez les phrases.

(a) 'Oh moi, j'y vais souvent.' = 'Oh moi, je vais souvent _____ _____.'

(b) 'Ma tante y habite.' = 'Ma tante habite _____ _____.'

4   Rearrange the jumbled words to form an answer for each question.

Remettez les phrases dans l'ordre.

(a) Bernard va souvent en Guadeloupe?

souvent – oui, – y – il – va

(b) Nassera va souvent en Guadeloupe?

elle – non, – jamais – va – n'y

(c) Bernard est déjà allé en Guadeloupe?

année – il – cette – y – oui, – allé – est

(d) Nassera est déjà allée en Guadeloupe?

n'y – jamais – elle – allée – est – non,

LES DOM-TOM

La Guadeloupe is one of several islands and territories that form the *départements d'outre-mer* (*DOM* – overseas departments), which are run just like the 95 administrative departments within France itself. French is the main language spoken in these departments, which include la Martinique, la Guyane and la Réunion. There are also *territoires d'outre-mer* (*TOM* – overseas territories) such as la Nouvelle-Calédonie and la Polynésie française, which are constitutionally part of the French republic and whose citizens also have French nationality.

Boys in New Caledonia, carrying baguettes

Using 'y' with the *passé composé*

You have already learned to use *y* (meaning 'there') with the present tense of the verb (in Unit 8, Session 2):

> *J'y passe souvent mes vacances.*
> I often spend my holidays there.

> *Elle n'y va jamais.* (Note the position of *ne ... jamais*).
> She never goes there.

When *y* is used with the *passé composé*, it is placed before *avoir* or *être*:

> *La Guadeloupe? Bernard y est déjà allé.*
> Bernard has been there already.

> *Je n'y suis jamais allée.*
> I've never been there.

> *Ma tante y a habité en 2001. Mais elle n'y habite plus.* My aunt lived there in 2001. But she doesn't live there any more.

Activité 14

Answer the following questions using *y*. Make sure the tense of the verb is correct in your answer.

Répondez aux questions.

(a) Vous avez habité en France?

(b) Vous êtes déjà allé(e) en Amérique?

(c) Vous allez souvent en France?

(d) Vous avez habité à Londres?

(e) Vous allez au bord de la mer de temps en temps?

(f) Vous êtes sorti(e) en ville ce matin?

LES JEUX TÉLÉVISÉS

Game shows are very popular on French television and command large audiences.. This is extremely important for each channel which is involved in *la course à l'Audimat* – Audimat being the system used to calculate the number of viewers. Two of the most famous French game shows, dating back to the 1950s and 60s, are *Des Chiffres et des Lettres* (the original for *Countdown*) and *Questions pour un champion*. Game shows can be very useful for language learners. Not only can they help develop your cultural knowledge, but by putting yourself in the place of the participants you will learn to think in the target language in order to respond to questions quickly.

The popular show *Questions pour un champion*

Activité 15 Extrait 8

Listen to Extract 8 again, this time following the transcript. Underline the words Bernard and Nassera use to stress the fact that they are talking about themselves.

Réécoutez et soulignez les mots dans la transcription.

G 6 Using 'moi', 'toi', etc. for emphasis

To show emphasis, in spoken French, you can add an 'extra' pronoun: *moi, toi, lui, elle, nous, vous, eux* or *elles.*

> *Oh, je suis très nerveuse,* **moi.**   I'm very nervous.

Notice that *moi, toi,* etc. often has no real equivalent in English.

> *Et qu'est-ce que tu prends,* **toi.**
> What are you going to have?

> **Lui,** *il n'a jamais quitté la France.*
> He's never left France.

> *Elle va peut-être gagner le voyage,* **elle.**
> Perhaps she'll win the trip.

> *Nous sommes déjà allés en Guadeloupe,* **nous.**
> We've already been to Guadeloupe.

> *Et* **vous,** *Bernard, vous avez le trac?*
> Are you scared, Bernard?

> *Ils vont souvent en vacances,* **eux.**
> They often go on holiday.

> *Et* **elles,** *elles ne regardent jamais la télévision?*
> Don't they ever watch television?

Activité 16

Match the two halves of each sentence.

Associez les deux parties de chaque phrase.

(a) Elle, ...	(i) ... nous avons regardé le feuilleton.
(b) Nous, ...	(ii) ... ne suis pas très nerveux.
(c) Lui, ...	(iii) ... aimes la télé-réalité?
(d) Moi, je ...	(iv) ... elle a gagné la valise.
(e) Vous, vous ...	(v) ... il n'a pas le trac.
(f) Toi, tu ...	(vi) ... êtes déjà allé en Polynésie.

Activité 17 🎧 Extrait 9

1   Listen to Extract 9, where you will hear four people talking about their favourite TV programmes. Say who likes and who doesn't like game shows.

Qui aime les jeux télévisés?

2   Read the transcript of Extract 9. Try to guess the meaning of the following adjectives from the context. Then look them up in the dictionary.

Traduisez les mots.

farfelu(es)

dégradant(s)

débile

abrutissant(e)

Activité 18 🎧 Extrait 9

Listen to Extract 9 again, following the transcript. Imitate the intonation of the speakers' voices.

Imitez l'intonation.

Activité 19

1   You are being interviewed about your views on game shows. Write down some notes, in answer to the following questions, then record your answers. Try to speak for about one minute.

Vous aimez les jeux télévisés?

- Quel est votre programme de télévision préféré? Pourquoi ?

- Vous regardez les jeux télévisés? Combien de fois par semaine?

- Vous aimez les jeux? Pourquoi (pas)? Donnez vos raisons.

- Quel programme est-ce que vous n'aimez pas du tout à la télévision? Pourquoi?

2   Listen to your recording. How does your intonation compare with that in Extract 9?

Écoutez votre enregistrement. Comparez votre intonation à l'intonation des quatre interviewés.

Session 4

Christine is reading an article in the local newspaper about Nassera's return from the holiday she won in the game show *Le voyage de vos rêves*.

Key Learning Points
- Giving opinions
- Using familiar language

Activité 20

1 Read the following local newspaper article on Nassera's holiday and list the aspects of the trip that she liked.

   Qu'est-ce que Nassera a aimé?

Le voyage de ses rêves?

La semaine dernière, devant 5 millions de téléspectateurs, Nassera Rached a gagné le gros lot. Elle a participé au jeu télévisé *Le voyage de vos rêves*, et elle a gagné la destination de ses rêves, la Guadeloupe, petite île dans l'Océan Atlantique où il fait beau toute l'année.

Elle était bien sûr ravie – elle qui n'a jamais voyagé plus loin que l'Algérie. Tout était payé – le billet d'avion, l'hôtel cinq étoiles, avec pension complète, et même des excursions à volonté. Alors, des vacances de rêves, n'est-ce pas? Eh bien, malheureusement, ce n'est pas tout à fait le cas.

«Je trouve que l'île est magnifique – il y avait une superbe plage en face de l'hôtel. Et les Guadeloupéens – j'en ai rencontré pas mal – je les ai trouvés tous accueillants et amicaux. La nourriture était vraiment délicieuse – bien épicée, comme je l'aime – avec un choix de poissons et de fruits de mer incroyable! La cuisine guadeloupéenne, ce n'est pas le fast que je mange souvent chez moi!»

Mais Nassera n'a pas eu de chance – il n'a pas fait beau, il a plu presque tous les jours et il a même fait froid!

«Heureusement qu'il y avait plein de boîtes de nuit – c'est là où j'ai rencontré des jeunes sympas. Et quelle musique. C'était super! J'ai dansé toute la nuit...»

Mais parce qu'il faisait mauvais, elle a attrapé un mauvais rhume. «...et j'étais mal fichue pendant le reste de mon séjour! Alors, j'avais le cafard – et je voulais rentrer en France!»

«Donc, ce n'était pas exactement le voyage de mes rêves, mais ce n'était pas un cauchemar non plus! Mais vous savez – j'en ai marre des jeux télévisés! Je ne les regarde plus!»

être mal fichu(e)
to be feeling rotten

j'avais le cafard
I was down in the dumps

j'en ai marre de
I've had enough of, I'm fed up with

2   What were the two things which spoiled her holiday?

Qu'est-ce qui a gâché ses vacances?

3   Tick whether the following statements are true or false.

Cochez 'vrai' ou 'faux'.

		Vrai	Faux
(a)	Dix mille personnes ont regardé *Le voyage de vos rêves* à la télévision.	❑	❑
(b)	Elle n'a jamais pris des vacances à l'étranger.	❑	❑
(c)	Elle pouvait prendre tous ses repas à l'hôtel.	❑	❑
(d)	Il a fait très beau toute la semaine.	❑	❑
(e)	Nassera a beaucoup dansé le soir.	❑	❑

Activité 21

Find the following phrases in the text of Activity 20, step 1. Tick the appropriate translation for what Nassera says?

Choisissez la bonne traduction.

(a) *pas mal de Guadeloupéens*

    (i)   not bad inhabitants of Guadeloupe   ❑

    (ii) lots of inhabitants of Guadeloupe   ❑

(b) *le fast*

    (i)   fasting   ❑

    (ii) fast-food   ❑

(c) *plein de boîtes de nuit*

    (i)   loads of nightclubs   ❑

    (ii) full of boxes   ❑

(d) *des jeunes sympas*

    (i)   nice young people   ❑

    (ii) sympathetic young people   ❑

(e) *c'était super*

    (i)   it was superior   ❑

    (ii) it was great   ❑

You are bound to come across examples of familiar or informal French when speaking to French people, so it's useful to be able to recognise some words. Some can date quickly. Others, like *sympa* ('nice') or *vachement* ('really') have been used for some time. You can often guess the meaning of informal French from the context. Good dictionaries will indicate informal language with a symbol such as an asterisk – try out your dictionary by looking up the word *balader*. Generally, however, it's best to avoid speaking informal French yourself.

Activité 22

1   Read the following dialogues, and underline any words you think are slang.

Soulignez les mots familiers.

Tu aimes la bouffe italienne? — Oui j'adore.

Ta copine vient avec nous? — Non, elle est vachement malade.

T'as regardé ce truc marrant à la télé hier? — Non, j'avais un max de boulot.

T'as vu ce type? — Oui, il me fiche la trouille.

2   Look up the following words in the dictionary to find their meanings in English.

Trouvez l'équivalent en anglais.

la bouffe   la copine
le truc   le type
le boulot   la trouille

Activité 23 Extrait 10

ils méritent de gagner
they deserve to win

1   Listen to Extract 10, in which a local reporter is interviewing a couple about game shows. Say which person likes them or doesn't like them.

Qui aime les jeux télévisés?

2   Listen again and make a list of all the adjectives which are used to describe game shows.

Rédigez une liste d'adjectifs.

3 Match the following four questions asked by the journalist with an appropriate response by an interviewee.

Associez les questions aux réponses.

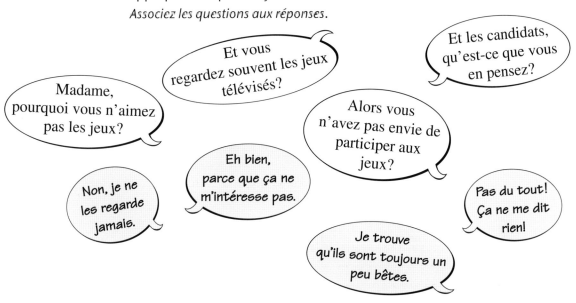

G 8   Giving opinions

You have already learned several ways of asking and giving opinions (in Unit 4, Session 3 and in Unit 9, Session 2).

You can also use the following phrases to express your opinion:

Ça me plaît.   I like it.

Ça ne m'a pas plu.   I didn't like it.

Ça me passionne.   I find it fascinating.

Ça ne m'intéresse pas beaucoup.   I'm not very interested in it.

Ça m'ennuie un peu.   I find it a bit boring.

Ça ne me dit rien.   I don't feel like it.

Here are some other ways of giving a personal view:

*Le documentaire? **C'est** fascinant.*
The documentary's fascinating.

***C'est** une émission intelligente.*
It's an intelligent programme.

***Je trouve que** le film est très émouvant.*
I find the film very moving.

***J'ai trouvé ça** bien/nul.*
I thought it was good/rubbish.

Activité 24

Write a letter of about 100 words to a friend describing a holiday you have just spent in an exotic resort, including the positive and negative aspects of it. Make sure you use verbs in the *passé composé* and the imperfect tense. You may want to re-use words from the newspaper article.

Écrivez une lettre à un(e) ami(e).

Give your opinion about:

- the journey
- the hotel
- the food
- the weather
- facilities
- people

You can start your letter like this:

Chère Nicole,

Je viens de passer un mois de vacances super…

Session 5

In this session, you will revise the following: talking about films and television, giving opinions, making suggestions, using *en* to avoid repetition, *y* with the *passé composé* and *moi, toi,* etc. for emphasis.

Activité 25

1   Read the information below about four films to be shown on television, and match each of the descriptions (a) – (d) with a film title from the listings opposite.

Associez les descriptions aux films correspondants.

(a)

Claude Brasseur joue le rôle d'Hubert Durieux, directeur d'une banque dans une petite ville de l'Oise. Sa vie est bouleversée quand il trouve une jeune fille (Valérie Kaprisky) blessée au bord de la route.

(b)

Yvan (Yvan Attal) est un journaliste qui aime beaucoup le sport. Sa femme Charlotte (Charlotte Gainsbourg) est vedette de cinéma. Mais un jour il découvre qu'il est jaloux…

(c)

Camille (Isabelle Adjani), jeune femme sculpteur, devient la maîtresse de Rodin (Gérard Depardieu). Mais leur amour ne va pas durer…

(d)

Un jeune poète, Christian (Ewan McGregor) vit à Montmartre en 1890. Il se trouve dans un milieu de drogue, d'alcool et de sexe. Il va rencontrer Satine (Nicole Kidman) qui est danseuse au Moulin-Rouge.

(i)

La Gitane ♥
Comédie
France 1986
Philippe de Broca
Durée: 95min
Mardi 14 – TF1→22h10

(iii)

Ma femme est une actrice ♥
Comédie dramatique
France 2001
Yvan Attal
Durée: 90 min
Vendredi 17 – CANAL + →21h00

(ii)

Moulin Rouge ♥ ♥ ♥ ♥
Comédie musicale
France 2001
Baz Luhrmann
Durée: 120 min
Lundi 13 – ARTE→20h45

(iv)

Camille Claudel ♥ ♥
Drame
France 1988
Bruno Nuytten
Durée: 170 min
Dimanche 12 – M6→22h50

Un peu ♥   Beaucoup ♥ ♥   Passionnément ♥ ♥ ♥   À la folie ♥ ♥ ♥ ♥

2   Complete the following sentences using the words from the box below.

Complétez les phrases.

(a) Les _____ _____ du film *La Gitane* sont _____ par Claude Brasseur et Valérie Kaprisky.

(b) *Ma femme est une actrice* est une _____ tournée en _____ par Yvan Attal.

(c) Le film *Moulin Rouge* de Baz Luhrman _____ la vie de Montmartre en 1890. C'est une _____ .

(d) *Camille Claudel*, c'est un film _____ la vie d'une jeune femme _____ qui tombe _____ de Rodin.

> sculpteur • comédie dramatique • France • amoureuse •
> basé sur • personnages • parle de • comédie musicale
> • joués • principaux

3   You have watched a film which was highly recommended (*à la folie*) by your magazine. E-mail a friend to explain what the story is about, giving as much information as you can. Write about 60 words, using the following structures: *à mon avis, c'est un film qui...* , *je pense que...* , *je trouve que...*

Décrivez un film à votre ami(e).

Activité 26

Use each prompt and photograph to form a sentence, following the example.
Make sure you use the correct pronoun after the introductory word, the correct
form of the verb in brackets and add a time
phrase such as you came across in Activity 2.

Construisez des phrases.

> **Exemple**
> Moi (faire)
> **Moi, je** fais du vélo **tous les jours.**

(a) Lui (aller)

(b) Eux (visiter)

(c) Toi (faire)

(d) Elle (regarder)

(e) Elles (se régaler)

(f) Nous (partir)

(g) Vous (jouer)

Activité 27

Find a phrase in the second column which matches the meaning of each phrase in the first column. There may be more than one possible match for some phrases.

Trouvez les équivalents.

(a)	Tu le préfères?	(i)	Elle y pense beaucoup.
(b)	Je ne supporte pas	(ii)	Je le trouve passionnant.
(c)	Ça m'ennuie.	(iii)	Nous avons envie de
(d)	Nous sommes d'accord.	(iv)	Elle est gentille.
(e)	Je le déteste.	(v)	Tu l'aimes mieux?
(f)	Elle est sympa.	(vi)	Je n'apprécie pas du tout
(g)	Nous voudrions	(vii)	J'en ai horreur.
(h)	Ça me passionne.	(viii)	Je le trouve ennuyeux.
(i)	Ça m'intéresse beaucoup.	(ix)	Qu'est-ce que vous en pensez?
(j)	Ça ne m'intéresse pas.	(x)	Nous avons la même opinion.
(k)	Elle en rêve.	(xi)	Ça ne me dit rien.
(l)	Quelle est votre opinion?	(xii)	C'est très intéressant.

Activité 28 🎧 Extrait 11

Listen to Extract 11, in which you are interviewed for an opinion poll about your television viewing habits. Answer the questions following the prompts.

Parlez dans les pauses.

FAITES LE BILAN

Now that you have finished the first five sessions of this unit, you should be able to:

Make suggestions using *si* + the imperfect tense	❑
Use *le/la/les* and *y* with the *passé composé*	❑
Use *en* to replace *de/de/de la/de l'* + noun	❑
Discuss films and television programmes	❑
Give opinions	❑
Use *moi, toi* and similar pronouns to show emphasis	❑

Tick each box when you think you can do each point. If you are not sure about something, go back and revise it in the appropriate session.

Session 6

Christine decides to hire a car and go out for the day.

Key Learning Points
- Giving and requesting information
- Making polite requests
- Talking about car hire

Activité 29

1   Look at the various options offered by this car-hire company. Which of the
    four links on the web page will Christine need for what she is planning?
    Christine doit cliquer sur quel lien?

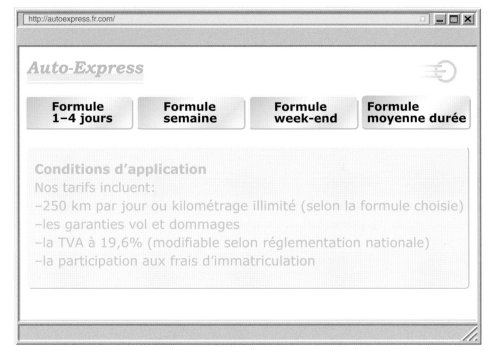

Auto-Express

| Formule 1–4 jours | Formule semaine | Formule week-end | Formule moyenne durée |

Conditions d'application
Nos tarifs incluent:
–250 km par jour ou kilométrage illimité (selon la formule choisie)
–les garanties vol et dommages
–la TVA à 19,6% (modifiable selon réglementation nationale)
–la participation aux frais d'immatriculation

TVA
VAT

les frais d'
immatriculation
registration fees

2   Read the *conditions d'application* and answer the following questions.
    Répondez aux questions.

(a) What choice do you have as regards mileage?

(b) What two eventualities are you insured against?

Activité 30 🎧 Extrait 12

disponible(s)
available

1   Listen to Extract 12. Where is this conversation taking place?
    Où est Christine?

climatisé
air-conditioned

siège bébé
baby (car) seat

Avez-vous
besoin de... ?
Do you need... ?

2   Which of the following statements are true or false. In the case of false
    statements, give the correct information in French.
    Cochez 'vrai' ou 'faux'. Corrigez les mauvaises réponses.

	Vrai	Faux
(a) Christine wants to hire a car for a week.	❏	❏
(b) The agent offers a small car.	❏	❏
(c) Christine does not need special equipment, such as a baby seat.	❏	❏
(d) An additional driver can be insured free of charge.	❏	❏
(e) There is a limit to the number of kilometres Christine can drive free of charge.	❏	❏

3   Listen to the extract again and choose the verb form Christine uses.
    Choisissez la forme du verbe que vous entendez.

(a) J'aimais / aime / aimerais louer une voiture confortable...

(b) Je préférerais / préfère / préférais avoir un véhicule climatisé...

(c) Pouvez / Pouviez / Pourriez-vous me dire combien coûte l'assurance?

(d) Pourriez / Pouvez / Pouviez-vous me dire si le kilométrage est illimité?

4   Read the transcript of Extract 12 and find the French equivalent of the
    following expressions.
    Trouvez l'équivalent en français.

I would like to... (two possibilities)	
I would prefer to...	
Could you tell me...	

G 9   Making polite requests

Christine made a polite request
using the conditional tense (which
you saw some forms of in Unit 4,
Session 6, and Unit 6, Session 2).

> *Bonjour, je **voudrais** louer une
> voiture pour un jour ou deux...*
> Hello, I'd like to hire a car for a
> day or two...

VOULOIR, conditional tense

je voudrais

tu voudrais

il/elle/on voudrait

nous voudrions

vous voudriez

ils voudraient

She could also have used *on* or *nous*:

> On **aimerait** louer une voiture confortable.
> We'd like to hire a comfortable car.

> Nous **préférerions** avoir un véhicule climatisé.
> We'd prefer to have an air-conditioned vehicle.

You can use the formula '*pourriez-vous me dire...*' to request information, either:

(a) followed by a question word such as *qui, où, quand, comment, pourquoi, combien*, etc.:

> *Pourriez-vous me dire **combien** coûte l'assurance pour un conducteur supplémentaire?*
> Could you tell me how much the insurance for an additional driver costs?

POUVOIR, conditional tense
je pourrais
tu pourrais
il/elle/on pourrait
nous pourrions
vous pourriez
ils pourraient

> *Pourriez-vous me dire **comment** s'appelle cette rue?*   Could you tell me the name of this street?

> *Pourriez-vous me dire **quand** il va arriver?*
> Could you tell me when he's going to arrive?

> *Pourriez-vous me dire **pourquoi** en France on roule à droite?*
> Could you tell me why they drive on the right in France?

(b) followed by *si*:

> *Pourriez-vous me dire **si** le kilométrage est illimité?*
> Could you tell me whether/if the mileage is unlimited?

Activité 31

Fill in the gaps to make a polite request for each of the following situations.

Complétez les phrases.

(a) You'd like to hire a car for a day.

> *Je _____ louer une voiture pour un jour.*

(b) You'd like to have a comfortable car.

> *On _____ avoir une voiture confortable.*

(c) You'd prefer to pay by credit card.

> *Je _____ payer par carte bleue.*

(d) You'd like to reserve an air-conditioned model.

Est-ce que nous _____ réserver un modèle climatisé?

(e) You'd like to know if the mileage is unlimited.

_____-vous me dire si le kilométrage est illimité?

(f) You'd like to know how much it costs to insure an additional driver.

_____-vous me dire combien coûte l'assurance pour un conducteur supplémentaire?

Activité 32

Complete each of the following sentences using a word from the box below.

Complétez les phrases en utilisant un mot de l'encadré.

appareil photo
camera

gare routière
coach station

(a) Pourriez-vous me dire _____ arrivent les nouveaux voisins?

(b) Excusez-moi, pourriez-vous me dire _____ utiliser cet appareil photo?

(c) S'il vous plaît, pourriez-vous me dire _____ coûtent ces fleurs?

(d) Pardon madame, pourriez-vous me dire _____ se trouve la gare routière?

(e) Pourriez-vous me dire _____ je peux téléphoner à l'étranger avec ce téléphone mobile?

(f) Pourriez-vous nous expliquer _____ vous êtes venu(e)?

> si • où • quand • comment • pourquoi • combien

Activité 33 🎧 Extrait 13

Listen to Extract 13 and play the role of the customer at a car hire company, following the prompts provided.

Parlez dans les pauses.

LEARNING LETTERS AND NUMBERS

A useful way of practising saying the letters of the alphabet is by spelling out your name and the names of family members or friends. You can practise dates and numbers by saying aloud your date of birth, any telephone numbers you use regularly, your credit and debit card numbers and your height and weight (in metric measures). Note that large numbers are often grouped in pairs: 3756 would be said aloud as 'trente-sept, cinquante-six'.

It is a good idea to practise saying combinations of letters and numbers, such as your passport and National Insurance numbers, your car registration number and your address.

Activité 34

Record yourself giving the following information. Spell out any words which would be unfamiliar to a French listener.

Dites à haute voix et enregistrez-vous.

- Le numéro de votre carte de crédit; sa date d'expiration; le nom du titulaire de la carte.
- Votre adresse et votre code postal.
- Votre numéro de téléphone.

Session 7

While driving, Christine has a minor accident. There follows an altercation with the other driver. Christine calms her down.

Key Learning Points

- Saying what is permitted or not permitted
- Dealing with a difficult situation: arguing and justifying your point of view

Activité 35 🎧 Extrait 14

1   Match each road sign with its meaning provided in the list below.

Faites correspondre chaque panneau indicateur à sa signification.

(a)   (b)   (c)   (d)   (e)   (f)

(i)   interdiction de tourner à gauche

(ii)   interdiction de dépasser

(iii) interdiction de stationner

(iv) sens unique

vitesse (f.)   (v)   vitesse limitée à 50 km/h
speed
(vi) sens interdit

garer ma voiture
to park my car

stationner
to park

un parking
a car park

un demi-tour
sur place
*a U-turn/3 point
turn*

à cet allure
*at this pace /
speed*

2 Listen to Extract 14 and match each mini-dialogue with one of the signs from step 1.

Écoutez l'extrait et trouvez le panneau correspondant à chaque mini dialogue.

Dialogue 1: _____

Dialogue 2: _____

Dialogue 3: _____

Dialogue 4: _____

3 Listen to Extract 14 again and note down the expressions used to ask or say what is permitted and what is not permitted. There are five in total.

Notez les expressions dans le tableau.

Permitted	Not permitted
...	...

G 10 Saying what is permitted and what is not

In Unit 2, Session 8 you looked at public notices forbidding certain actions. Here are some more expressions for asking or saying what is permitted and what is not. You have heard some of them in Extract 14.

Permitted	Not permitted
***Est-ce que je peux** garer ma voiture ici?* Can I park here?	***Il est interdit de** stationner dans cette rue.* There's no parking in this street.
***Vous avez le droit de** consulter gratuitement un avocat indépendant.* You have the right to free and independent legal advice.	***On ne peut pas** tourner à droite, c'est un sens interdit.* You/we can't turn right, there's no entry.
***On peut** fumer dans l'établissement?* Is smoking allowed on the premises?	***Je n'ai pas le droit** de faire demi-tour, c'est un sens unique!* I can't do a U-turn, it's a one-way street!
***Il est permis de** prendre des photos sans flash.* Non-flash photography is allowed.	***Ce n'est pas permis**, la vitesse est limitée à 50 km / heure.* It's forbidden, there's a 30 mph speed limit.

Note: You will come across both '***Il est** interdit/permis/possible de...*' and '***C'est** interdit/permis/possible de ...*'. *Il est* is more likely to occur in formal contexts, but *c'est* is now widely used in both spoken and written French.

Activité 36

Say what you are permitted or not permitted to do in the following situations, using an expression from the list below to complete the sentences. There is more than one possible answer for most of them.

Complétez les phrases suivantes en utilisant les expressions données.

(a) En France, sur autoroute...		... rouler à 130 km à l'heure.
(b) En Grande Bretagne,...		... dépasser 70 miles à l'heure sur autoroute
(c) Dans les salles de lecture des bibliothèques,...		... parler.
(d) En France, dans les aéroports...		... prendre des photos.
(e) Dans les écoles publiques françaises...		... porter des insignes religieux.

    (i)   on ne peut pas   (iv) il est permis de

    (ii) on peut   (v) il est interdit de

    (iii) on n'a pas le droit de   (vi) il n'est pas permis de

PRIORITÉ À DROITE

In France, a driver has to give way to any vehicles coming from the right, unless instructed otherwise by traffic signs or road markings. Failure to respect the principle of *priorité à droite* will result in the deduction of four points from your driving licence! (*Article R415-5 du Code de la Route*).

Activité 37 🎧 Extrait 15

1   Listen to Extract 15. What has happened prior to the dialogue?

     Quel événement a précédé le dialogue?

LE CONSTAT D'ACCIDENT

The *constat européen d'accident* is a form provided by motor insurance companies for completion should an accident occur. Details of the people involved in the accident are recorded in it. It is also known as a *constat à l'amiable,* because both parties have to cooperate in filling it out. Some information about the circumstances of the accident is also recorded, including a sketch of the scene. This document is aimed at speeding up the claims procedure. If driving in France, you are recommended to keep two copies of the form in the glove compartment of your car.

2 Listen once more to Extract 15. How does Christine say the following?

Écoutez encore l'Extrait 15 et notez les expressions.

(a) She is sorry about what happened.

(b) She accepts responsibility.

3 Read the transcript of Extract 15 and underline the phrases used by Christine to calm the situation down and suggest a way out.

Soulignez les phrases.

G 11 Dealing with a difficult situation

In Extract 15 you heard Christine and the other driver using the following expressions:

- for apologising and accepting responsibility:

  Je suis désolée.   I'm very sorry.

  C'est ma faute.   It's my fault.

- for calming things down:

  *Écoutez, **ne nous énervons pas**.*
  Listen, let's not get worked up.

  ***On ne va pas se disputer**.*
  Let's not argue about it.

  ***Après tout, ce n'est pas grave**, il n'y a pas de blessés.*
  After all, it isn't serious, nobody is injured.

- for suggesting a solution:

  ***Si on faisait** un constat à l'amiable...?*
  Why don't we fill out a joint accident report?

Activité 38

1 Match the sentences from each column and re-order them to form a coherent dialogue between Christine and Alain.

Construisez un dialogue.

tombé en panne d'essence
to run out of petrol

Christine	Alain
(a) Mais j'ai besoin de la voiture pour aller à la gare. T'es un irresponsable!	(i) Pardonne-moi. C'est ma faute. Je suis tombé en panne d'essence.
(b) Idiot, pourquoi tu n'as pas fait le plein?	(ii) Écoute, j'ai oublié. On ne va se disputer.
(c) La voiture ne marche pas. Il n'y a plus d'essence!	(iii) Si on prenait un taxi?
(d) Mais mon train part dans dix minutes. Qu'est-ce qu'on peut faire?	(iv) Ne t'énerve pas, on va trouver une solution.

2 Write down in French what you might say in the following situations?

Écrivez une réponse.

(a) Someone runs into the back of a car. Say you're sorry, but it's not your fault.

(b) The other driver is very agitated. Calm him down and tell him you don't want to quarrel.

(c) He's worried about the cost of the damage to both cars. Tell him that it's not that bad. At least no one's hurt.

(d) He's not sure what to do. Suggest you fill out a joint accident report.

G 12 'Tu' form of the imperative

In Unit 4, Session 6, you learned how to give instructions using the *vous* form of the imperative. When talking to close friends or family members, the *tu* form of the imperative can be used:

Pardonne-moi!   Forgive me!

Écoute!   Listen!

Ne t'énerve pas!   Don't get worked up!

Finis tes devoirs!   Finish your homework!

Ne fais pas l'idiot!   Don't be a fool!

You will learn more about forming the imperative later in the course.

Activité 39

Read the following advice from an accident report form and answer the questions.

Répondez aux questions.

Que faire en cas d'accident?

• Faites en sorte que votre véhicule ne représente pas un danger pour les autres usagers de la route (utilisez notamment les feux de détresse).

• Remplissez un constat d'accident signé des deux parties. N'omettez pas de préciser la date et le lieu de l'accident, ainsi que les coordonnées complètes de l'autre véhicule (nom, prénom, adresse, immatriculation, marque, compagnie d'assurance, no. de police d'assurance).

• Prévenez, si besoin, notre service dépannage-assistance (téléphone: 0 845 55 45 35, en France).

• Restituez le constat d'accident à l'agence Auto-Express.

---

1   Here is a list of the steps you must take in the event of an accident. Put them in the order in which they appear in the text.

(a) fill in an accident report form

(b) switch on your hazard warning lights

(c) telephone the company's breakdown service, if necessary

(d) ensure your vehicle poses no danger to other road-users

(e) send in your accident report form

2   Which items of information must you obtain from the driver of the other vehicle, for the accident report form?

(a) surname

(b) _____

(c) _____

(d) _____

(e) _____

(f) _____

(g) _____

Activité 40 🎧 Extrait 16

queue (f.)
queue

être en colère
to be angry, cross

Listen to Extract 16 and play the role of a person apologizing or defusing a situation, in five different contexts. Follow the prompts.

Parlez dans les pauses.

Christine gives a lift to a hitchhiker.

Key Learning Points

- Using verbs of movement with *à*, *en* and *de*
- Using *on* to talk about yourself
- Using *on* to make general statements

Activité 41 🎧 Extrait 17 _____

1   Listen to the five short advertisements in Extract 17. What are they all advertising?

Écoutez l'extrait. De quoi fait-on la publicité?

2   Look at the transcript of Extract 17 and underline all the verbs of movement. Check their meaning and look up their infinitive form in the dictionary if necessary.

Soulignez les verbes de mouvement.

3   Fill in the gaps in the following mini-dialogue responses, using the same verb as in the question.

Complétez les réponses.

Exemple

Vous **partez** où pour vos prochaines vacances?

Pour mes prochaines vacances, je pars au Canada.

(a) Où est-ce que vous allez cet été?

On _____ à l'île Maurice.

(b) Comment préférez-vous voyager?

On préfère _____ en train, c'est plus confortable.

(c) Tu es toute bronzée... tu reviens d'où?

Je _____ de Caracas.

(d) Vous repartez dans quel pays?

Nous _____ au Maroc pour deux ans.

(e) Quand est-ce qu'elle a déménagé?

Elle _____ l'année dernière.

(f) Carole est rentrée de quel pays?

Elle _____ d'Allemagne.

(g) Comment vous vous déplacez, en ville?

En ville, je _____ toujours en bus.

G 13 Verbs of movement

You already know the verbs *aller*, *arriver*, *partir* and *venir*, and you have also come across the verbs *voyager* ('to travel'), *revenir* ('to come back, return'), *retourner* ('to go back') and *rentrer* ('to come back, go back, return'). Another verb often used when talking about movement and travel is *repartir* ('to leave again, set off again').

Verbs of movement are often followed by *à*, *en*, or *de*. You will see which as you work through the following activities.

Activité 42 🎧 Extrait 18

j'en profite pour...
I'm making use of it to...

appart' (slang) = appartement

se diriger vers
to make for, head towards

pour des raisons de santé
for health reasons

1   Listen to Extract 18. What is offered and accepted in the course of this conversation?
    Écoutez l'extrait.

2   Which of the following statements are true or false? In the case of false statements, give the correct information in French.
    Cochez 'vrai' ou 'faux'. Corrigez les mauvaises réponses.

		Vrai	Faux
(a)	Christine se dirige vers Bourg en Bresse.	❑	❑
(b)	L'autostoppeuse vient de Lyon.	❑	❑
(c)	Ses parents sont allés à Bourg pour des raisons de santé.	❑	❑
(d)	L'autostoppeuse travaille comme psychologue à Lyon.	❑	❑
(e)	L'autostoppeuse va partir à Paris habiter avec son frère.	❑	❑

3   Listen to Extract 18 again and complete the following sentences, using the verb of movement you hear.
    Complétez les phrases.

    (a) Bonjour, je _____ à Bourg en Bresse.

    (b) Non, là j'ai un grand week-end, alors j'en profite pour _____ à Bourg chez mes parents.

    (c) Après, je _____ chez moi.

    (d) On _____ de Lyon. Mais on a déménagé. On est _____ à Bourg à cause du boulot de mon père.

    (e) Mais l'an prochain, je _____ à Paris.

    (f) En fait, lui, il _____ à Bourg pour son internat de médecine.

4   Look at the *Corrigé* of step 3. What word follows the verbs *aller*, *partir*, *retourner*?
    Quel mot suit les verbes 'aller', 'partir', 'retourner'?

À

In Unit 4, Session 2, you learned that *à* can be used to talk about **going to** places (both cities and countries). You saw that it combines with *le* and *les* to form *au* and *aux*. *À, au* and *aux* are also used to talk about **being in** places.

> *Tu **pars au** Maroc cet été?*
> Are you going **to** Morocco this summer?

> *Non, je passe l'été **à** Paris.*
> No, I'm spending the summer **in** Paris.

> *Béatrice et Sophie retournent **aux** États-Unis le mois prochain.*
> Béatrice and Sophie return **to** the States next month.

En

In Unit 7, Session 9, you saw that *en* could also be used with the names of countries. *En* is used both for **going to** countries and **being in** them.

> *On adore voyager **en** Grèce, mais l'an passé, on est allé **en** Israël.*
> We love travelling in Greece but last year we went **to** Israel.

Note the use of the preposition in the following examples:

> *Nous allons **en** Allemagne.* (feminine singular)

> *Vous retournez **au** Brésil?* (masculine singular)

> *Tu reviens **en** Israël?* (masculine singular, but begins with a vowel)

> *Il part **aux** Comores.* (plural)

Activité 43

Complete the following sentences with a word from the box below.

Complétez les phrases.

(a) Je pars _____ Brésil.

(b) Tu retournes bientôt _____ Paris?

(c) Nous partons _____ Bahamas la semaine prochaine.

(d) Il voyage souvent _____ Espagne.

> à • au • aux • en

G 15 Using 'de' with verbs of movement

De is used to talk about points of origin. Like *à*, it can be used with cities or countries, and it combines with *le* and *les* to form *du* and *des*.

> *Nous sommes allés **de** Londres **à** Paris en Eurostar.*
> We went from London to Paris by Eurostar.

> *Je viens **des** Antilles françaises.*
> I come from the French West Indies.

> *Elle arrive **du** Havre.*
> She is coming back from Le Havre.

Activité 44

Complete each of the following sentences with a word from the box below.
Complétez les phrases.

1 (a) Elle est arrivée _____ Portugal.

(b) Je suis rentré _____ Marseille tout bronzé.

(c) Quand est-ce que tu reviens _____ Afrique?

(d) Tu es déjà revenu _____ Baléares?

> de • d' • du • des

2 Using the notes below, write about 70 words in French saying which countries Frédéric has visited and where he has where lived between 1995 and today. Use the verbs suggested, in the *passé composé*. If no destination is indicated, say which place Frédéric has come from.

Racontez les voyages de Frédéric en utilisant le passé composé.

You can start like this: Frédéric est un grand voyageur. ...

Quartier des affaires, Montréal

1995	aller	Canada (m.)
1995–7	vivre	Montréal
1997	retourner	France (f.)
1998	aller	Sénégal (m.)
1998–2002	habiter	Dakar
2002	revenir retourner	France (f.)
2003	repartir	Montréal
aujourd'hui	vivre	Louisiane (f.)

Marché kermel, Dakar, Sénégal

Activité 45 🎧 Extrait 19 _____

benéfices
profits
le chiffre
d'affaires
the turnover

1 Listen to the dialogues in Extract 19. Which of the following statements are true or false? In the case of false statements, give the correct information in French.

Cochez la bonne case.

	Vrai	Faux
(a) Ce soir, ils ont décidé d'aller au restaurant japonais.	❑	❑
(b) Les Brésiliens parlent portugais.	❑	❑
(c) Les Canadiens parlent anglais et italien.	❑	❑
(d) Cette année, ils ont mieux vendu que l'année dernière.	❑	❑

2 Listen again to Extract 19 and decide for each dialogue whether *on* means *nous* or 'people in general'.

Écoutez encore l'Extrait 19 et dites dans quel dialogue 'on' signifie 'nous'.

	on = nous	on = les gens
Dialogue 1		
Dialogue 2		
Dialogue 3		

G 16 Using 'on' to make general statements

You have already come across the use of *on* to mean *nous*:

*Coucou, c'est **nous**! **On** est arrivés...*
Hello again, it's us ! We've arrived...

On is also used to express the idea of 'people in general' as in:

Au Brésil, on parle portugais.
They speak Portuguese in Brazil.

Au Cap-Vert, on vit de la pêche.
The Cape Verde islanders make a living from fishing.

Activité 46 _____

Decide whether *on* means 'we' or 'people in general' in these sentences.

Pour chaque phrase, cochez la case indiquant le sens de 'on'.

	nous	les gens
(a) Sur le pont d'Avignon, on y danse, on y danse...	❑	❑
(b) On voudrait deux jus d'orange, s'il vous plaît.	❑	❑
(c) En Afrique, on mange beaucoup de piment.	❑	❑

	nous	les gens
(d) On habite ensemble.	❏	❏
(e) On ne fait pas d'omelettes sans casser d'œufs.	❏	❏
(f) On travaille tous les deux.	❏	❏
(g) Avec Aurélie, on cherche un appartement.	❏	❏
(h) Zut! On est revenus au point d'où on est partis.	❏	❏
(i) En Corse, l'été, on peut faire de la plongée sous-marine.	❏	❏
(j) On se marie le mois prochain!	❏	❏

Activité 47 🎧 Extrait 20

en autostop, en stop
hitch-hiking

vous avez l'habitude
you're used to it

Listen to Extract 20 and play the role of the hitchhiker.
Parlez dans les pauses.

Session 9

Christine's passenger, whose name is Aline, talks about a recent trip she went on.

Key Learning Points

croiser
to come across

panneau (m.)
sign

la vitre
the (car) window

bagnole (f.)
car, old banger

avoir une panne d'essence
to run out of petrol

- Telling a story, using the *passé composé* and the imperfect tense
- Using *lui* and *leur*

Activité 48 🎧 Extrait 21

1 Listen to Extract 21. Which of the following best sums up the story told by Aline?

Quelle phrase résume l'histoire d'Aline?

(a) On a eu une panne d'essence. ❏

(b) On s'est perdus. ❏

(c) On a eu un accident. ❏

2   Which of the following corresponds to Aline's account of her adventure.

Cochez la bonne reponse.

(a) Aline est allée:
   (i)   en Grèce.   ❏
   (ii) en Hongrie.   ❏
   (iii) en Turquie.   ❏

(b) Pour demander où elle, était, elle a:
   (i)   parlé en anglais.   ❏
   (ii) communiqué avec des gestes.   ❏
   (iii) parlé en français.   ❏

(c) Aline a demandé le chemin:
   (i)   pour retourner au village précédent. ❏
   (ii) pour aller à Istanbul.   ❏
   (iii) pour partir en Anatolie.   ❏

3   Read the transcript of Extract 21. Underline the past tenses (*passé composé* and imperfect tense) used in the story.

Soulignez les temps du passé.

4   Which tense is used: (a) to narrate key events?; (b) to sketch in the background?

Identifiez les temps et leurs fonctions.

G 17   Telling a story, using the *passé composé* and the imperfect tense

In Unit 5, Session 8, you learned that the *passé composé* is used to talk about past events which are now completed:

> On **a visité** des villes magnifiques.
> We **visited** some magnificent towns.

As you saw in Unit 8, Session 8, the imperfect tense is used to describe situations in the past, or to talk about things that happened repeatedly.

> Tous les matins on **partait** découvrir de nouvelles routes. (repeated)
> Every morning we **(used to) set off** to discover new routes.

> La nuit **commençait** à tomber. (situation)
> Night **was beginning** to fall.

For the main actions and events in a story, use the *passé composé*. To sketch in the background, use the imperfect. For example:

> Deux villageois **passaient** par là... on **a arrêté** la bagnole.
> Two villagers were going past ... we stopped the car.

Activité 49

1   Put the verbs in brackets in the *passé composé*.
    Mettez les verbes entre parenthèses au passé composé.

   (a) L'année dernière, je _____ (aller) en vacances en Normandie.

   (b) Un matin, j'_____ (croiser) un vieux monsieur.

   (c) Quand il m'a vu, il _____ (sourire) et _____ (dire) bonjour.

2   Put the verbs in brackets in the imperfect.
    Mettez les verbes entre parenthèses à l'imparfait.

   (a) C'_____ (être) un ami de mon père.

   (b) Tous les matins, il _____ (se promener) le long des plages.

   (c) À 6 h 00 du matin, il n'y _____ (avoir) personne, et le soleil _____ (briller) déjà à l'horizon.

3   Rearrange the six sentences in steps 1 and 2 to tell a story.
    Mettez les phrases ensemble, pour raconter une anecdote.

Activité 50

Rewrite the text below, using the *passé composé* and the imperfect tense.
Réécrivez le texte ci-dessous au passé.

> Il fait beau, le soleil brille, les oiseaux chantent. Eric et moi décidons d'aller à la plage. On prend la voiture et on part. On roule tranquillement quand tout à coup Eric me dit: 'Les maillots de bain, j'ai oublié les maillots de bain!' On rigole. Finalement, pour ne pas retourner à la maison, on décide d'aller se promener à la campagne.

G 18   Using 'lui' and 'leur'

Lui and *leur* are used to refer to people already mentioned. They are used when verbs are followed by *à*. *Lui* usually means 'to him', 'to her', or 'to it'. *Leur* usually means 'to them'.

> *L'un des villageois a dit quelques mots d'anglais. Paul **lui** a donc parlé en anglais.*
> One of the villagers said a few words in English. So Paul spoke to him in English.
>
> *Je **leur** ai montré la carte routière.*
> I showed them the road map.

The idea of 'to' is not always expressed in English:

> – Tu as téléphoné **à Francine**?   – Non, je **lui** ai envoyé un courriel.
>
> – Did you phone Francine?   – No, I sent **her** an e-mail. (= sent an e-mail **to her**)

Note also that French *à* does not always correspond to English 'to':

> Céline et Nicole sont furieuses, parce que Robert **leur** a emprunté 100 euros.
> Céline and Nicole are furious because Robert borrowed 100 euros **from them**.

Note the position of *lui* and *leur* with the present tense and with the *passé composé*. *Lui* and *leur* belong to a larger family of pronouns (called indirect object pronouns).

Indirect object pronouns
me
te
lui
nous
vous
leur

Activité 51

1 Read the transcript of Extract 21 again. Underline the phrases in the transcript which correspond to the following sentences.

Lisez l'extrait et soulignez les phrases qui correspondent aux phrases suivantes.

(a) J'ai demandé le chemin **aux villageois**.

(b) Paul a donc parlé en anglais **à l'un des villageois**.

(c) J'ai montré la carte routière **au villageois**.

(d) J'ai demandé **aux villageois** où on était.

2 Which word corresponds to the phrase in bold in each sentence?

Soulignez les mots que correspondent aux quatre phrases en caractères gras.

Activité 52

1 Rewrite the following sentences, replacing the words in bold with *lui* or *leur*.

Transformez les phrases ci-dessous.

Exemples

Il téléphone **aux autorités**. → Il **leur** téléphone.

J'ai donné la clé **à mon frère**. → Je **lui** ai donné la clé.

(a) Pierre écrit **à sa mère** de temps en temps.

(b) Tu as téléphoné **à Eric**?

(c) Paul a parlé **aux touristes** en anglais.

(d) Anna envoie des courriels **à ses amis** tous les jours.

(e) Colette a montré son album de photos **à sa voisine**.

(f) J'ai demandé mon chemin **aux deux villageois**.

2   Rewrite the following sentences, replacing the words in bold with *lui* or *leur*. Record yourself saying the modified sentences aloud.

Donnez les réponses à haute voix.

(a) L'auteur répond **aux critiques**.

(b) Léonie dit bonjour **à Mme Duval**.

appartenir à
to belong to

(c) Ce chapeau appartient **à Sandra**.

(d) Elle a montré le chemin **aux touristes**.

(e) Je n'ai pas donné l'adresse **à Sylvie et Aline**.

(f) Est-ce que vous avez envoyé le fax **à M.Breton**?

Activité 53

Think of something amusing or surprising that may have happened to you, perhaps on holiday. What were the key events? Write them down using the *passé composé*, and complete the anecdote by doing the following:

*   use the imperfect tense to fill in the descriptive background;

*   put the sentences together to form a story of approximately 100 words.

Remember to use *lui* and *leur* where appropriate.

Rédigez une anecdote en suivant les instructions.

Session 10

In this session you will revise using pronouns, talking about the past and places you have travelled to, and understanding slang.

Activité 54

Complete the sentences below. Follow the example.

Faites des phrases selon le modèle.

Exemple

Je travaille en banlieue, moi. Mais toutes mes amies travaillent au centre-ville.

(a) La directrice arrive à 10 h 00, _____. Sa pauvre secrétaire arrive à 8 h 00.

(b) Paul aime la montagne, _____. Christine préfère la mer.

(c) Les filles veulent aller au restaurant, _____ . Nous préférons aller au cinéma.

(d) Nous aimons notre travail, _____ . Mais ils gagnent beaucoup d'argent.

(e) Vous êtes sportive, _____ , mais Olivier préfère la lecture.

(f) Cet hiver nous partons au ski. Ils restent à Avignon, _____ .

(g) Je pars demain, _____ . _____ , tu restes ici, non?

Activité 55

Complete the following sentences with the appropriate pronoun from the box.

Complétez les phrases suivantes avec les pronoms de l'encadré.

> lui • leur

(a) Vous téléphonez souvent à vos amis?

Oui, je _____ téléphone souvent.

(b) Quand est-ce que tu empruntes sa voiture à Paul?

Je _____ emprunte sa voiture demain.

(c) Vous rendez visite à Elisabeth et Djamila la semaine prochaine?

Oui, nous _____ rendons visite mardi prochain.

(d) Tu as montré la route à Christian?

Oui, je _____ ai montré comment venir chez nous.

(e) Tu as parlé au patron à propos de ton augmentation?

Je _____ ai parlé ce matin.

emprunter qch à qn
to borrow sth from sb

rendre visite à qn
to visit sb, to pay sb a visit

une augmentation (de salaire)
a pay rise

Activité 56

1 Complete the following sentences by putting the verb in brackets into the *passé composé*.

Complétez les phrases suivantes au passé composé.

(a) Alex _____ (passer) son baccalauréat en 1999.

(b) François Mitterrand _____ (être) Président de la République de 1981 à 1995.

(c) Amélie _____ (faire) son choix en 10 minutes.

(d) Elisabeth et Paul _____ (partir) en vacances au Brésil la semaine dernière.

(e) Balzac _____ (compléter, ne pas) la *Comédie Humaine*.

(f) Lorsque je _____ (revenir) à Paris, j' _____ (reprendre) mon métier de coiffeur.

2 Complete the following sentences by putting the verb in brackets into the imperfect tense.

Complétez les phrases suivantes à l'imparfait.

(a) On _____ (aller) à la piscine tous les mardis.

(b) Christine _____ (faire) des gâteaux quand le téléphone a sonné.

(c) Quand on _____ (être) jeunes, on _____ (manger) des pizzas tous les jours.

(d) Chaque dimanche, les enfants _____ (jouer) au football.

(e) Charlotte _____ (être) heureuse parce qu'elle _____ (avoir) beaucoup d'amis.

(f) Henri _____ (aimer) le café, mais il _____ le thé (ne pas supporter).

3 Rewrite the text below using the *passé composé* and the imperfect tense, as appropriate.

Réécrivez le texte suivant au passé.

Je suis en vacances. Je veux aller à la campagne. Je loue une belle voiture de sport et je pars. Il fait beau, la route est libre, et la voiture roule à 120 km à l'heure. Soudain, je vois un énorme tracteur. Il traverse la route devant moi. Je ralentis, mais c'est trop tard. La belle voiture entre en collision avec le tracteur. C'est ma faute.

Activité 57 🎧 Extrait 22

Listen to Extract 22 a couple of times and find a popular slang equivalent for each of the following phrases. (Their equivalents in the audio occur in the same order as in the list below.)

Trouvez les équivalents en français familier.

(a) c'est **très gentil**.

(b) j'ai **énormément de travail**.

(c) mon **amie** est **malade**.

(d) elle est **déprimée**.

(e) j'ai **beaucoup de choses** à faire.

(f) la **restauration rapide** est **sans valeur nutritive**.

(g) **la nourriture est excellente** dans ce **restaurant**.

Activité 58 🎧 Extrait 23

1   Fill in the gaps in the following sentences, using the verbs in brackets in the *passé composé* and adding prepositions where required. (This will prepare you for the speaking activity in step 2.)

Complétez les phrases suivantes.

(a) L'année dernière Joëlle et Philippe _____ (aller) _____ Afrique.

(b) Ils _____ (passer) deux semaines _____ Sénégal.

(c) Ensuite, ils _____ (voyager) _____ Mali.

(d) Ils _____ (partir) _____ Bamako, pour aller voir Tombouctou.

(e) Ensuite, ils _____ (revenir) au bord de l'océan, _____ Dakar.

(f) Ils _____ (rentrer) _____ Paris la semaine dernière. Ils sont très bronzés.

2   Listen to Extract 23 and speak in the pauses, following the English prompts.

Parlez dans les pauses.

tu es gâté(e)
(lit: you're spoilt)
you lucky thing

Wallonie
Wallonia, French-speaking area of Belgium

Activité 59

Write an account in French (approximately 70 words) of a journey you have made. Include where you started from, the place you visited, what you saw and how you came back. You may find it helpful to use the verbs of movement you revised in Activity 58.

FAITES LE BILAN

Now that you have finished the last five sessions of this unit, you should be able to:

Ask for and understand information on car hire	❏
Make polite requests	❏
Say what is permitted and what is prohibited	❏
Deal with some difficult situations	❏
Talk about your travels, using the *passé composé* and the imperfect tense	❏
Use *lui* and *leur*	❏

Tick each box when you think you can do each point. If you are not sure about something, go back and revise it in the appropriate session.

Corrigés

Activité 1

1   Christine and Lucas decide to go to the cinema.

2   (a) v.o. (version originale)

    (b) tlj. (tous les jours)

3   (a) (v), (b) (iv), (c) (vi), (d) (ii), (e) (iii), (f) (i)

These phrases revise some of the constructions you have met so far in the course (e.g. *je préfère* + the infinitive *voir; une comédie* + the past participle *tournée*).

4   Christine says all of the phrases except (d) (ii), which Lucas says.

5   (a) (i)   As you will see in G1, this phrase means 'How about going... ?' or 'What about going... ?'.

    (b) (ii) You came across this way of making suggestions in Unit 4, Session 6.

    (c) (iii) *On pourrait* means the same as *nous pourrions* in this context. Remember that *on* is often used to mean 'we'.

6   In the three phrases of (a), the verb is in the imperfect tense. (To revise how to form this tense, see Unit 8, Session 8).

Activité 2

1   (a) Si on allait au bord de la mer ce week-end?

    (b) Si on jouait au tennis demain?

    (c) Si on visitait le Pont du Gard la semaine prochaine?

    (d) Si on allait au théâtre samedi soir?

    (e) Si on regardait la télévision ce soir?

The main thing to remember is to put the verb into the imperfect tense and check the ending (*-ait*).

2   Check your answers on the CD and in the transcript. Listen carefully to the intonation pattern used for suggestions and practise copying it.

Activité 3

1   The film is about some people who give up everything to live in the country.

2   Positive judgements: (a), (b), (d).

    Negative judgements: (c), (e).

3   (a) Lucas n'a pas aimé le film.

    (b) Christine a aimé la musique.

    (c) Sylviane a aimé la photographie.

4   intéressant – ennuyeux

    beau – laid

    gai – lugubre

    sympathique – désagréable

    simple – compliqué

    naturel – artificiel

    authentique – faux

    facile – difficile

    superbe – exécrable

5   The verbs in the passé composé are: *tu as pensé, je l'ai beaucoup aimé, je ne l'ai pas aimé, je l'ai trouvé, je l'ai beaucoup appréciée, je l'ai trouvée, elle a créé, tu l'as trouvée, je n'ai rien aimé.*

6   (a) *l'* refers to the film (*le film*).

    (b) The other examples of *l'* in the transcript are: *je ne l'ai pas aimé..., Je l'ai beaucoup appréciée..., Je l'ai trouvée très douce..., tu l'as trouvée belle....*

You may find it useful to go back to Unit 6, Session 7 to revise the direct object pronouns *le/la/l'/les*.

Activité 4

(a) Oui, je l'ai faite. (*Note the 'e' ending, to agree with* 'la cuisine').

(b) Oui, je l'ai vu.

(c) Oui, je l'ai prise. (*Note the 'e' ending, to agree with* 'la photographie'.)

(d) Oui, je l'ai aimée. (*Note the 'e' ending, to agree with* 'l'histoire'.)

(e) Non, je ne l'ai pas appréciée. (*Note the 'e' ending, to agree with* 'la musique').

(f) Non, je ne l'ai pas regardée. (*Note the 'e' ending, to agree with* 'la pièce'.)

(g) Oui, je les ai lus. (*Note the '-s' ending, to agree with* 'les magazines'.)

(h) Non, je ne les ai pas mangés. (*Note the '-s' ending, to agree with* 'les'.)

Activité 5

Check your answers on the CD and in the transcript. Did you remember to pronounce the consonant at the end of the verb in *faite / mise / prises*?

Activité 6

Here is a sample answer. Check in particular how many aspects of the film you have managed to describe.

> J'ai vu *Belleville rendez-vous* hier au cinéma et c'est un film très amusant. C'est un dessin animé mais les personnages principaux sont très sympathiques – surtout le chien. Le film est tourné en France et aux États-Unis dans les années 50 et il parle du Tour de France. Un cycliste est kidnappé par des hommes très méchants. Les dessins sont très réalistes et la musique est vraiment fascinante.

Activité 7

1 (a) en direct
   (b) déjà diffusé

2 (a) (ii), (b) (vii), (c) (i), (d) (vi), (e) (viii), (f) (iii), (g) (ix), (h) (iv), (i) (v)

You may have been able to guess quite a few of these because of the similarity to English: *documentaire, variétés, reportage, télé réalité.*

3 Here is a possible schedule:

> 18 00 – *Questions pour un champion* – un jeu – France 3
>
> 18 50 – *Smallville* – une série américaine – M6
>
> 19 50 – Météo – les prévisions météorologiques – France 2
>
> 20 00 – Journal – les informations – France 2
>
> 20 30 – *Chère inconnue* – un film français sur la Bretagne - Arte
>
> 22 35 – *La grande école des fans* – une émission de variétés – France 2

This obviously means you will be doing a lot of channel-hopping! The French for 'to channel-hop' is *zapper*.

4 Here is a sample answer. Compare it with your own. Check that you have used the expressions suggested. Remember to use '*sur France 3 / Arte*', etc. when specifying the channel. You will be able to check your pronunciation of certain words in the next activity.

> Et si on regardait la télévision toute la soirée? À 18 00, on pourrait regarder un jeu – il y a *Questions pour un champion* sur France 3. Après peut-être *Smallville* – Lucas, vous adorez les séries américaines, n'est-ce pas? Puis il faut regarder la météo sur France 2 pour le temps pour demain et les informations – pour vous, Sylviane. Et si on regardait un film ensuite, il y a *Chère Inconnue* sur Arte – c'est sur la Bretagne, je pense. Et après nous pourrions regarder l'émission de variétés *La grande école des fans* – c'est sur France 2 à 10 30. Je pense qu'il y a Johnny Halliday ce soir! C'est mon chanteur favori.
>
> Et si on commandait une pizza pour manger devant la télé?

Activité 8

1   Note that programmes published in newspapers and magazines will normally use the 24-hour clock, whereas in spoken French the 12-hour clock is generally used (e.g. '... *le foot sur TF1 à huit heures et demie*').

Titre de l'émission	Type d'émission	Quelle chaîne?	À quelle heure?
Football: Lyon/Nice	émission sportive	TF1	20 30
Chère Inconnue	film	Arte	20 30
Journal	les informations	France 2	20 00
E = M6	magazine scientifique	M6	20 05
Soir 3	les informations	France 3	22 40
J'ai décidé d'être belle	documentaire	M6	20 55

2   You may have noticed that 's' in *-sion* is pronounced /z/, whereas 'ss' in -*ssion* is pronounced /s/.

Activité 9

1   The words said first are:
télévision, information, profession, provision, discussion, décision.

Activité 10

1   (a) (i) Faux. (*He says he really likes football even though he thinks there is too much of it on TV.*)

      (ii) Vrai. (*She liked it less the year of this interview [because the French lost]*)

   (b) (i) Vrai.

      (ii) Vrai.

   (c) (i) Faux. (*He watches them regularly and enjoys them because they show different cultures and countries.*)

      (ii) Vrai.

   (d) (i) Faux. (*She watches the news on TF1 (she calls it* 'la première chaîne').)

      (ii) Faux. (*She watches the news every night on France 2.*)

2   The correct order in which the questions are asked in the extract is: (c), (d), (b), (a).

Note the use of informal French in these questions – *le foot* (rather than *le football*); *la télé* (for *la télévision*); *les infos* (for *les informations*). This is typical of spoken French, but this kind of abbreviation should be avoided in formal written French.

3   '*En*' in the second question stands for *des séries américaines*.

Activité 11

(a) Vous **en** parlez souvent?

(b) Vous **en** êtes satisfait(e).

(c) Vous **en** discutez souvent?

Activité 12

Here are some sample answers. Did you include time phrases such as *toutes les semaines*?

(a) Le foot? Je le regarde toutes les semaines – j'adore ça!

(b) Les séries américaines? Je ne les regarde jamais. J'ai horreur de ça.

(c) Les documentaires? Oui, je les regarde de temps en temps. Je préfère les documentaires sur la nature, et surtout les animaux – comme les émissions de David Attenborough.

(d) Les infos? Oui, j'essaie de regarder le journal tous les soirs. Je le préfère sur Channel 4.

Activité 13

1 The other two speakers are the game show host and Nassera's fellow contestant, who is called Bernard.

2 Here is the completed table:

Nassera ou Bernard?	
Nassera	a gagné la valise en cuir.
Bernard	a gagné le caméscope.
Nassera	a le trac.
Bernard	va très bien.
Bernard	va souvent en Guadeloupe.
Nassera	n'est jamais allée en Guadeloupe.
Nassera	en rêve depuis longtemps.

3 Bernard means:

(a) 'Oh moi, je vais souvent **en Guadeloupe**.'

(b) 'Ma tante habite **en Guadeloupe**.'

(*Y* often means 'there', but it can also mean 'here', depending on the context.)

4 (a) Oui, il y va souvent.

(b) Non, elle n'y va jamais.

(c) Oui, il y est déjà allé cette année.

(d) Non, elle n'y est jamais allée.

Activité 14

Here are some possible answers. If you are female, remember to add the 'e' to the past participle where necessary, as shown below in brackets.

(a) Oui, j'y ai habité trois ans.

(b) Non, je n'y suis jamais allé(e).

(c) Oui, j'y vais deux fois par an.

(d) Non, je n'y ai jamais habité.

(e) Non, je n'y vais jamais.

(f) Non, je n'y suis pas sorti(e).

Activité 15

Nassera ... **moi,** je suis très nerveuse.

Bernard **Moi,** non, ça va très bien.

Bernard Oh **moi,** j'y vais souvent.

Nassera **Moi,** je n'y suis jamais allée.

Activité 16

(a) (iv), (b) (i), (c) (v), (d) (ii), (e) (vi), (f) (iii)

Activité 17

1 Pascal and Élisabeth like game shows, whereas Pierre and Lionel dislike them intensely.

2 *farfelu(es)*   strange, bizarre

dégradant(s)   degrading

débile   stupid, mindless, idiotic

abrutissant(e)   mind-destroying

You may have noticed several meanings in the dictionary for some of these words. Remember that the context will dictate the most precise translation. For example, *farfelu* is used here to describe the game show questions, but you can also say someone is *farfelu*, meaning 'scatty' or 'scatter-brained'.

Activité 18

Repeat this activity until you are satisfied that your intonation is similar to that in the extract.

Activité 19

1/2 Here is a sample answer. Did you use *le/la/les* with the verbs to avoid repetition?

> J'adore les documentaires à la télévision, surtout les documentaires qui concernent les autres pays. Je les trouve fascinants et je peux voyager dans mon fauteuil!

> Les jeux – je les regarde de temps en temps – peut-être une fois par semaine. Mais je ne les aime pas beaucoup. Je les regarde seulement pour me détendre. *Qui veut gagner des millions*, par exemple, c'est une émission fascinante, parce que moi, je voudrais gagner beaucoup d'argent, et j'adore les questions.

> Je déteste la télé-réalité. Je pense qu'il y a trop de télé-réalité aujourd'hui, c'est tous les soirs. Et je trouve les émissions vraiment dégradantes.

Activité 20

1 Nassera liked the island, the beach, the people, the food, the nightclubs and the young people she met there.

2 Her holiday was spoilt by the weather and the fact that she caught a cold.

3 (a) Faux. (*Five million* (de téléspectateurs) *watched the programme.*)

(b) Faux. (*She has been to Algeria.*)

(c) Vrai. ('pension complète'.)

(d) Faux. (*The weather was not very good.*)

(e) Vrai.

Activité 21

(a) (ii), (b) (ii), (c) (i), (d) (i), (e) (ii)

Activité 22

1 You may not have recognised all the following as slang, but you are likely to come across them when talking informally to French people.

la bouffe	un max
ta copine	(le) boulot
vachement	ce type
ce truc	ficher
marrant	la trouille
la télé	

2 *la bouffe* food

le truc thing

le boulot work

la copine friend (female)

le type bloke, guy

il me fiche la trouille he gives me the creeps

Activité 23

1 The woman says she can't stand gameshows but the man likes them.

2 The adjectives used to describe game shows / a particular game show are:

passionnant

intelligent

stupide

commercialisé

instructif

nul

bien (*is an adverb used here as an adjective*)

amusant

divertissant

3 Check your answers on the CD and in the transcript.

Activité 24

Here is a sample answer. Check in particular your use of the *passé composé* and the perfect tense.

> Chère Nicole,
>
> Je viens de passer un mois de vacances super. Tu sais que je suis allé(e) au Tahiti. C'est une très belle île dans l'Océan Pacifique. C'est une partie de la Polynésie française. J'ai trouvé les gens très sympathiques. Ils parlaient tous français. J'ai beaucoup aimé la cuisine – elle était très exotique. J'y suis allé(e) en avion. J'ai trouvé le voyage fatigant. Quand je suis arrivé(e), l'hôtel n'avait pas de chambre pour moi, mais j'ai trouvé un autre hôtel tout de suite! Il y avait beaucoup de choses à faire sur l'île – et moi, j'ai décidé de faire de la voile. C'est passionant ! Et il faisait beau toute la semaine.

Remember to use the *passé composé* to say what you did, and the imperfect tense to describe things (weather, people, food, etc.).

Activité 25

1 (a) (i), (b) (iii), (c) (iv), (d) (ii)

Remember to look for key words which should give you clues, e.g. *actrice / vedette de cinéma*.

2 (a) Les **personnages principaux** du film *La Gitane* sont **joués** par Claude Brasseur et Valérie Kaprisky.

(b) *Ma femme est une actrice* est une **comédie dramatique** tournée en **France** par Yvan Attal.

(c) Le film de Baz Luhrman **parle de** la vie de Montmartre en 1890. C'est une **comédie musicale**.

(d) *Camille Claudel*, c'est un film **basé sur** la vie d'une jeune femme **sculpteur** qui tombe **amoureuse** de Rodin.

3 Here is a sample answer. Check in particular the ways in which you expressed your opinion of the film.

> Hier, je suis allé au cinéma. J'ai vu *Moulin Rouge*, le nouveau film de Baz Luhrmann. Je l'ai beaucoup aimé. Ça parle de Christian, un jeune poète qui vit à Paris en 1890. Il est pauvre et il n'est pas heureux. Il tombe amoureux de Satine – la star du célèbre cabaret du Moulin Rouge. C'est un film qui combine un décor grandiose, des images flamboyantes et une musique très énergétique. J'ai trouvé la combinaison superbe. À mon avis c'est un mélodrame, un film d'évasion. Je pense que le film est moqueur, provocateur et sentimental en même temps. Il faut absolument le voir.

Activité 26

Here are some possible answers:

(a) Lui, il va au cinéma ce soir.

(b) Elle, elle regarde la télévision tous les jours.

(c) Toi, tu fais du jogging ce week-end?

(d) Eux, ils visitent le musée demain.

(e) Elles, elles se régalent au restaurant samedi soir.

(f) Nous, nous partons à l'étranger demain.

(g) Vous, vous jouez au tennis cet après-midi?

Activité 27

(a) (v), (b) (vi), (c) (viii), (d) (x), (e) (vii), (f) (iv), (g) (iii), (h) (ii), (i) (xii), (j) (xi), (k) (i), (l) (ix)

Activité 28

Check your answers on the CD and in the transcript.

Activité 29

1   Since Christine is planning a day trip, she needs the link *Formule 1– 4 jours*.

2   (a) You may choose between a limit of 250 km per day ('*250 km par jour*') and the unlimited mileage option ('*kilométrage illimité*').

   (b) You are insured against theft ('*le vol*') and damage ('*les dommages*').

Activité 30

1   The conversation takes place in a car hire company.

2   (a) Faux. ('... louer une voiture pour un jour ou deux')

   (b) Faux. ('... une voiture moyenne...'.)

   (c) Vrai.

   (d) Faux. ('Conducteur additionnel'... le tarif est de 22 euros')

   (e) Vrai. (*Christine has to pay 36 cents (0.36 euros) for every kilometer she drives over 500* – '... chaque kilomètre supplémentaire coûte 36 centimes d'euros').

3   (a) J'**aimerais** louer une voiture confortable...

   (b) Je **préférerais** avoir un véhicule climatisé.

   (c) **Pourriez**-vous me dire combien coûte l'assurance?

   (d) **Pourriez**-vous me dire si le kilométrage est illimité?

4

I would like to...	*Je voudrais...*
	J'aimerais...
I would prefer to...	*Je préférerais...*
Could you tell me...	*Pourriez-vous me dire...*

Activité 31

(a) voudrais / aimerais

(b) aimerait / voudrait

(c) préférerais

(d) pourrions

(e) pourriez

(f) pourriez

Activité 32

(a) quand

(b) comment

(c) combien

(d) où

(e) si

(f) pourquoi

Activité 33

Check your answers on the CD and in the transcript.

Activité 34

Answers will vary according to your personal circumstances.

Activité 35

1   (a) (iii), (b) (i), (c) (iv), (d) (ii), (e) (vi), (f) (v)

2   Dialogue 1: (a) ('... il est **interdit de stationner** dans cette rue')

   Dialogue 2: (e) ('... c'est un **sens interdit**...')

   Dialogue 3: (c) ('... c'est **un sens unique**!')

   Dialogue 4: (f) ('... la **vitesse est limitée à 50 kilomètres heure**')

3

Permitted	Not permitted
Est-ce que je peux...?	Il est interdit de...
	On ne peut pas...
	Je n'ai pas le droit...
	C'est pas permis...

Activité 36

(a) (ii) or (iv) (i.e. it is **permitted**)

(b) (i), (iii), (v), or (vi) (i.e. it is **not permitted**)

(c) (i), (iii), (v), or (vi) (i.e. it is **not permitted**)

(d) (i), (iii), (v) or (vi) (i.e. it is **not permitted**)

(e) (i), (iii), (v) or (vi) (i.e. it is **not permitted**)

Activité 37

1 A car accident has just occurred.

2 (a) 'Je suis désolée.'

   (b) 'Je le reconnais... c'est ma faute.'

3 The phrases used by Christine to calm the situation down are highlighted in bold. Their function will be explained in G 11.

   > Écoutez, **ne nous énervons pas**..., **on va pas se disputer**..., Je le reconnais..., c'est ma faute. **Après tout, ce n'est pas grave**, il n'y a pas de blessés.

   Christine suggests a way out by saying:

   > **Si on faisait un constat à l'amiable** plutôt.

Activité 38

1 The full dialogue runs as follows: (c) (i), (b) (ii), (a) (iv), (d) (iii).

2 (a) Je suis désolé(e), mais ce n'est pas ma faute.

   (b) Ne nous énervons / vous énervez pas. On ne va pas se disputer.

   (c) Après tout, ce n'est pas grave. Il n'y a pas de blessés.

   (d) Si on faisait un constat à l'amiable?

Activité 39

1 The following is the order in which the steps appear in the text:

   (d), (b), (a), (c), (e)

(In reality, you might carry out these steps in a different order.)

2 You must obtain the following details from him or her:

   (a) surname

   (b) forename(s)

   (c) address

   (d) vehicle registration number

   (e) make of vehicle

   (f) name of insurance company

   (g) number of insurance policy

Activité 40

Check your answer on the CD and in the transcript.

Activité 41

1 All the advertisements are advertising a means of travel or transport.

2 The verbs of movement in the extract are:

   (a) Envie de **voyager**?... travel (voyager) ... vous **emmène**... *will take you* (emmener)

   (b) ... **voyagez**... *travel* (voyager)

   (c) ... pour vous **déplacer**... *to get around* (se déplacer)

   (d) ... Vous **déménagez**? *Moving house*? (déménager)

   (e) ... vous **partez**... *you set off* (partir)

3 (a) va   (e) a déménagé

   (b) voyager   (f) est rentrée

   (c) reviens   (g) me déplace

   (d) repartons

Activité 42

1 Christine offers a hitchhiker a lift, which is accepted.

2 (a) Vrai.

   (b) Vrai.

   (c) Faux. ('On est allés à Bourg à cause du boulot de mon père'.)

   (d) Faux. ('Je fais me études là-bas.' ... 'Je suis en licence de psycho.')

   (e) Faux. ('je pars à Paris' ... 'lui, il retourne à Bourg pour ses études de médecine')

3 (a) Bonjour, je **vais** à Bourg en Bresse.

   (b) Non, là j'ai un grand week-end, alors j'en profite pour **aller** à Bourg chez mes parents.

   (c) Après, je **rentre** chez moi.

(d) On **vient** de Lyon. Mais on a déménagé. On est **allés** à Bourg à cause du boulot de mon père.

(e) Mais l'an prochain, je **pars** à Paris.

(f) En fait, lui, il **retourne** à Bourg pour son internat de médecine.

4   *Aller, partir, retourner* are followed by the preposition *à*.

Activité 43

(a) au, (b) à, (c) aux, (d) en

Activité 44

1   (a) du, (b) de, (c) d', (d) des

2   Here is a sample answer:

> Frédéric est un grand voyageur. Aujourd'hui, il vit en Louisiane, mais il a passé plus de temps à l'étranger qu'en France. Il a vécu au Canada pendant deux ans, à Montréal, puis il est retourné en France en 1997. Ensuite, il est allé au Sénégal. Il a habité à Dakar pendant quatre ans. Il est revenu du Sénégal en 2002, mais dès l'été 2003, il est reparti à Montréal pour les vacances.

Activité 45

1   (a) Faux. ('Allons au restaurant chinois!').

(b) Vrai.

(c) Faux. ('Au Canada, on parle français et anglais').

(d) Vrai.

2   Here are the correct answers:

	on = nous	on = les gens
Dialogue 1	✓	
Dialogue 2		✓
Dialogue 3	✓	

Activité 46

(a) les gens, (b) nous, (c) les gens, (d) nous, (e) les gens, (f) nous, (g) nous, (h) nous, (i) les gens, (j) nous

Activité 47

Check your answer on the CD and in the transcript.

Activité 48

1   (b)

2   (a) (iii), (b) (ii), (c) (ii)

3   Verbs in the *passé composé* are shown in bold print below, and verbs in the imperfect tense are underlined:

> Je **suis allée** en Turquie avec Paul, mon ami. Là on **a visité** des villages magnifiques. Une fois, on **s'est perdus**! On roulait sur une route de campagne. Tout à coup on n'**a** plus **vu** de panneaux... Il n'y avait aucune indication, rien! La nuit commençait à tomber. On **a roulé** une heure, seuls au milieu de nulle part! Alors, on **a décidé** de retourner jusqu'au village précédent. Heureusement, on **a croisé** deux villageois qui passaient par là. On **a arrêté** la bagnole, j'**ai ouvert** la vitre et je leur **ai demandé** le chemin pour aller à Istanboul. L'un des villageois **a dit** quelques mots d'anglais. Paul lui **a** donc **parlé** en anglais mais ils ne comprenaient pas bien. Alors, finalement je lui **ai montré** la carte routière et avec des gestes, je leur **ai demandé** où on était. Là, ils **ont** enfin **compris** et on **a** bien **rigolé** tous ensemble. C'était génial, j'**ai pris** plein de photos.

4   (a) The *passé composé* is used to narrate key events, e.g. *on s'est perdus..., on a décidé de retourner... , on a croisé deux villageois... , je leur ai demandé le chemin... , je lui ai montré la carte routière... , ils ont enfin compris.* (This is not an exhaustive list.)

(b) The imperfect is used to sketch in the background, e.g. *on roulait sur une route de campagne..., la nuit commençait à tomber..., deux villageois... passaient par là?* (This is not an exhaustive list.)

Activité 49

1 (a) je **suis allé**

(b) j'**ai croisé**

(c) **a souri** et **a dit**

2 (a) C'**était**

(b) il **se promenait**

(c) il n'y **avait** personne, et le soleil **brillait**

3 This is one possible way of combining the sentences:

L'année dernière, je suis allé en vacances en Normandie. À six heures du matin, il n'y avait personne, et le soleil brillait déjà à l'horizon. Un matin, j'ai croisé un vieux monsieur. Tous les matins, il se promenait le long des plages. Quand il m'a vu, il a souri et a dit bonjour. C'était un ami de mon père.

Activité 50

Here is the text written in the past, using the imperfect tense and the *passé composé*.

Il **faisait** beau, le soleil **brillait**, les oiseaux **chantaient**. Eric et moi **avons décidé** d'aller à la plage. On **a pris** la voiture et on **est partis**. On **roulait** tranquillement quand tout à coup Eric m'**a dit**: Les maillots de bain, j'ai oublié les maillots de bain! On **a rigolé**. Finalement, pour ne pas retourner à la maison, on **a décidé** d'aller se promener à la campagne.

Activité 51

1 (a) '… je **leur** ai demandé le chemin…'

(b) 'Paul **lui** a donc parlé en anglais…'

(c) '… je **lui** ai montré la carte routière…'

(d) '… je **lui** ai demandé où on était.'

2 (a) leur, (b) lui, (c) lui, (d) lui

Activité 52

1 (a) Pierre **lui** écrit de temps en temps.

(b) Tu **lui** as téléphoné?

(c) Paul **leur** a parlé en anglais.

(d) Anna **leur** envoie des courriels tous les jours.

(e) Colette **lui** a montré son album de photos.

(f) Je **leur** ai demandé mon chemin.

2 (a) L'auteur **leur** répond.

(b) Léonie **lui** dit bonjour.

(c) Ce chapeau **lui** appartient.

(d) Elle **leur** a montré le chemin.

(e) Je ne **leur** ai pas donné l'adresse.

(f) Est-ce que vous **lui** avez envoyé le fax?

Activité 53

Here is a sample answer:

L'année dernière, nous avons acheté une maison en Ardèche. Nos voisins avaient une petite ferme. Ils étaient très sympas. Un soir, on leur a offert un pot. On voulait leur dire merci. À un certain moment, la fermière a regardé ma femme et lui a remarqué: "Mais votre collier ressemble à un bracelet de ma grand-mère. Mon grand-oncle lui a donné cela, le jour de son mariage. Il a offert le collier à la mariée, ma future grand-tante Élodie." "Quelle coïncidence!" lui a répondu ma femme, "Ma grand-mère s'appelait Élodie." Ce soir-là ma femme a fait une découverte. Elle avait une cousine en Ardèche!

Activité 54

(a) elle, (b) lui, (c) elles, (d) nous, (e) vous, (f) eux, (g) … moi. Toi…

Activité 55

(a) leur, (b) lui, (c) leur, (d) lui, (e) lui

Activité 56

1 (a) a passé

(b) a été

(c) a fait

(d) sont partis

(e) n'a pas complété

(f) suis revenu ... ai repris

2 (a) allait

(b) faisait

(c) était ... mangeait

(d) jouaient

(e) était ... avait

(f) aimait ... ne supportait pas

3 Here is the text, written using the *passé composé* and imperfect tenses:

> J'**étais** en vacances. Je **voulais** aller à la campagne. J'**ai loué** une belle voiture de sport et je **suis parti**. Il **faisait** beau, la route **était** libre, et la voiture **roulait** à 120 km à l'heure. Soudain, j'**ai vu** un enorme tracteur. Il **traversait** la route devant moi. J'**ai ralenti**, mais c'**était** trop tard. La belle voiture **est entrée** en collision avec le tracteur. C'**était** ma faute.

Activité 57

The slang equivalents in the audio extract are:

(a) 'c'est vachement sympa'

(b) 'j'ai un max de boulot'

(c) ma 'copine ... est mal fichue'

(d) 'elle a le cafard'

(e) 'j'ai pas mal de trucs à faire'

(f) 'le fast, c'est nul'

(g) 'la bouffe y est super [dans ce resto]'

Activité 58

1 (a) L'année dernière Joëlle et Philippe **sont allés en** Afrique.

(b) Ils **ont passé** deux semaines **au** Sénégal.

(c) Ensuite, ils **ont voyagé au** Mali.

(d) Ils **sont partis de** Bamako, pour aller voir Timbouctou.

(e) Ensuite, ils **sont revenus** au bord de l'océan, **à** Dakar.

(f) Ils **sont rentrés à** Paris la semaine dernière. Ils sont très bronzés.

2 Check your answers on the CD and in the transcript.

Activité 59

Here is a sample answer:

> Je **suis allé(e) au** Maroc en avion avec mon fils cet été. Nous **sommes arrivés à** Rabat, puis nous **sommes allés à** Casablanca. Ensuite, nous **sommes descendus** dans le sud, **jusqu'à** Agadir. Nous avons mangé d'excellents tajines ! Après, on **a traversé** l'Atlas et on **est remontés** vers le nord pour visiter Fes. On **est restés** trois jours à Fes et puis on **est rentrés à** Londres.

10

The tenth unit of *Bon départ* deals with the old and the new, from popular traditions and costumes to cars and online shopping. Change is a major theme of the unit, whether it is the changing face

VUE D'ENSEMBLE

Session	Key Learning Points
1	• Talking about houses past and present • Making comparisons using *plus ... que, moins ... que* and *aussi ... que* with adjectives • Making comparisons using *plus ... que, moins ... que* and *autant ... que* with verbs
2	• Talking about the past • Using the imperfect tense
3	• Talking about change • Making comparisons using *plus de, moins de* and *autant de* with nouns • Using *de plus en plus* and *de moins en moins*
4	• Discussing the 'good old days' • Forming and using adverbs • Making comparisons using *plus, moins* and *aussi* with adverbs
5	Practising what you have learned so far
6	• Making a complaint in writing and by telephone • Using *ça fait que* + present tense
7	• Understanding short literary extracts and identifying tenses • Expressing a consequence
8	• Using *lequel, laquelle, lesquels, lesquelles* • Talking about your tastes and preferences when you were younger
9	• Using tenses in a narrative • Understanding the present tense when used to tell a story
10	Practising what you have learned so far

Cultural information	Language learning tips
Terminology relating to the Internet	
Fairy tales and fables	
	Being an active learner

You go with Christine to visit her friend Alain, who is renovating his Provençal house. Later his sister Charlotte joins you.

Key Learning Points

- Talking about houses past and present
- Making comparisons using *plus ... que*, *moins ... que* and *aussi ... que* with adjectives
- Making comparisons using *plus ... que*, *moins ... que* and *autant ... que* with verbs

Activité 1

1   Read the following text. What do you think a *bastide* is?

Qu'est-ce que c'est qu'une bastide?

2   Which of the following has most influenced traditional building styles in Provence according to the text?

Cochez la bonne réponse.

(a) les conditions économiques ❑

(b) les matériaux de construction ❑

(c) le climat ❑

La bastide provençale

Autrefois les gens du Midi avaient peur de deux choses: la grosse chaleur d'été et le mistral – ce vent épouvantable qui souffle toujours du Nord. Pour cette raison on construisait des maisons à très petites fenêtres et le côté nord était souvent aveugle.

Stéphane Monceau, qui restaure depuis deux ans sa vieille bastide, nous raconte ses expériences:

'L'intérieur de ma maison était frais mais horriblement sombre. C'est pour ça que j'ai d'abord posé des fenêtres à double vitrage plus larges, côté jardin. J'ai voulu que les proportions de la façade restent aussi traditionnelles que possible. Puis, j'ai installé la climatisation. La chaleur est maintenant moins difficile à vivre. Pour la peinture j'ai choisi les couleurs du soleil. Mon dernier projet: élargir la porte-fenêtre pour avoir une meilleure vue du mont Ventoux.'

3   Match the French words in the left-hand column to their equivalents in English, according to their meaning in the text opposite.

Trouvez les équivalents.

(a) grosse chaleur	(i) better view
(b) épouvantable	(ii) double glazed
(c) souffle	(iii) to widen
(d) côté	(iv) to live with
(e) aveugle	(v) great heat
(f) frais	(vi) air conditioning
(g) climatisation	(vii) blows
(h) vivre	(viii) windowless
(i) peinture	(ix) dreadful
(j) élargir	(x) side
(k) meilleure vue	(xi) cool
(l) à double vitrage	(xii) paintwork

4   Write down, in French, the main changes Stéphane Monceau has made to his *bastide*.

Quels changements a-t-il faits?

5   Answer the following questions.

Répondez aux questions.

(a) You met the verb *élargir* in step 3. What do you think *large* means?

(b) Translate the following expressions into English and underline the word in the text which each describes.

(i)   plus larges

(ii) aussi traditionnelles que possible

(iii) moins difficile à vivre

G 19   Making comparisons using 'plus … que', 'moins … que' and 'aussi … que' with adjectives

In Unit 4, Session 4, you learned how to make comparisons using *plus* or *moins* with an adjective:

j'ai posé des fenêtres … plus larges   I've put in wider windows

la chaleur est … moins difficile à vivre   the heat is less difficult to live / cope with

To compare things that are similar, or remain the same, use *aussi* with an adjective:

> *Les proportions de la facade restent aussi traditionnelles...*
> The proportions of the facade are still just as traditional...

Comparisons are normally completed by *que*, meaning 'than' or 'as'.

> *Jacques est **plus** intelligent **que** son frère.*
> Jacques is more intelligent than his brother.

> *La 2CV est **moins** confortable **que** la C5.*
> The 2CV is less comfortable than the C5.

> *Les proportions restent **aussi** traditionnelles **que** possible.*
> The proportions remain as traditional as possible.

Activité 2 Extrait 24

1   Listen to Christine and Alain talking in Extract 24. Has Alain completely transformed his house?

Est-ce qu'Alain a complètement transformé sa maison?

2   Listen again and tick any of the adjectives you hear, some of which may be in their feminine form.

Écoutez et cochez les adjectifs.

(a) simple	❑		(g) claires	❑
(b) gros	❑		(h) large	❑
(c) calme	❑		(i) chaleureux	❑
(d) grande(s)	❑		(j) sombre	❑
(e) petites	❑		(k) fraîche	❑
(f) traditionnel	❑		(l) nouvelle	❑

3   The phrases in the left-hand column are all changes Alain has made to his house. Match each with its result.

Associez chaque changement à son résultat.

Changement	Résultat
(a) on a élargi la cuisine	(i) la maison reste aussi fraîche
(b) on a posé une nouvelle fenêtre	(ii) le vestibule est moins grand
(c) on a refait la peinture	(iii) la cuisine est plus large
(d) on a pris une partie du vestibule	(iv) les couleurs sont plus claires
(e) on a installé la climatisation	(v) on a une meilleure vue

4   Write five sentences based on the structure in the examples below, using the adjective in brackets, to compare aspects of Alain's house now with what it was like before.

Écrivez cinq phrases.

Exemple

la chaleur (difficile à vivre)
*Autrefois la chaleur **était plus difficile à vivre que** maintenant.*

fenêtres (larges)
*Autrefois les fenêtres **étaient moins larges que** maintenant.*

(a) l'intérieur (sombre)

(b) la cuisine (grand)

(c) les couleurs (clair)

(d) l'ambiance (calme)

(e) la construction (simple)

Activité 3 🎧 Extrait 25

la Toile
the Web/Net

un chat
*usually 'cat';
here 'chat
room/line'*

t'es gonflée
*you've got a
nerve*

les araignées
(f. pl.)
spiders

1   Listen to Extract 25 in which Charlotte and Alain discuss the Internet. Which of them is the enthusiast?

Écoutez. C'est qui, l'internaute?

2   List Charlotte's Internet activities below in the order you heard them.

Numérotez les actions de Charlotte par ordre d'audition.

(a) Elle surfe sur la Toile.   ❏

(b) Elle a rencontré des amis des quatre coins du monde sur des chats. ❏

(c) Elle fait des études en ligne.   ❏

(d) Elle envoie des méls.   ❏

3   Listen again to Extract 25. Tick the correct box to show whether Charlotte does each activity more or less now and write the reason in English.

Écoutez et cochez.

	Plus	Moins
(a) sortir	❏	❏
(b) dormir	❏	❏
(c) apprécier la géographie	❏	❏

Making comparisons using 'plus', 'moins' and 'autant' with verbs

Plus and *moins que/qu'* are used with verbs to make comparisons.

> *Tous les enfants travaillaient plus que toi!*
> All the children worked more than you (did)!

> *Tu travaillais beaucoup moins que moi.*
> You used to work a lot less than I (did).

Autant que/qu' with a verb means 'as/so much (as)'.

> *Je dialogue avec mes amis autant que possible.*
> I chat with my friends as much as possible.

> *Tu ne travaillais pas autant qu'elle.*
> You didn't work as much/so much as she did.

Pronouncing 'plus' after a verb

When *plus* means 'more', the 's' may be silent [ply] or sounded [plys].

> *Aimée gagne plus que Jacques.* [ply] or [plys]
> Aimée earns more than Jacques.

When plus means 'no more' or 'no longer', the 's' is never pronounced.

> *Son métier n'existe plus.* [ply]
> His trade no longer exists.

Activité 4 _____

1   Read the following dialogue in which an OU student talks about how their life has changed. Complete it by translating the English phrases into French.

> *Trouvez l'équivalent français des phrases en anglais.*

–   Est-ce que vous sortez (*more or less*) maintenant?

–   (*More*), oui, je sors (*a lot more*) parce que je dois parler français (*as much as possible*).

–   Et autrefois, vous travailliez (*less*) en ligne?

–   Oui, (*a lot less than now*).

–   Est-ce que vous vous reposez (*as much*) maintenant?

–   (*I sleep more*) la nuit mais (*I rest less*) pendant la journée.

2   Read the answers out loud.

> *Lisez les réponses à haute voix.*

Activité 5 🎧 Extrait 26

Listen to Extract 26. Speak in the pauses following the prompts.

Écoutez et parlez dans les pauses.

TERMINOLOGY RELATING TO THE INTERNET

English terms are often borrowed to talk about computers and the Internet (*surfer, un chat*) even where a French equivalent exists (*le Web* rather than *la Toile*). Sometimes French is adapted (*charger*: to load; *télécharger*: to download). English may also be directly translated into French (*disque dur*: hard disk; *moteur de recherche*: search engine).

French web addresses end in '.fr', for example *http://www.gouvernement.fr* (at the time of writing) is the official French government website, where you can read news items about the French government.

Activité 6

Think of things that you do more than, less than, or as much as, other people you know. Make up three comparisons, using *plus*, *moins* and *autant*.

Écrivez trois phrases contenant des comparaisons.

Session 2

You, Christine and Alain go to an Antiques Fair where Alain sees an old 2CV car (*Deuche*).

Key Learning Points

- Talking about the past
- Using the imperfect tense

Read the list of attractions at the Antiques Fair in the centre circle of the poster below and then translate them into English.

Traduisez la liste d'attractions.

Foire aux antiquités

la lavande

la farandole

Brocante

Costumes folkloriques

Antiquités

Produits du terroir

Transports anciens

Marché artisanal

Vieux métiers

Danses traditionnelles

l'Arlésienne

l'huile d'olive

le meunier

la poissonnière

le tambourinaire

Activité 8

1   Without using a dictionary, match each of the following definitions to a drawing on the poster opposite.

Associez la définition au dessin.

(a) Il travaillait jadis dans un moulin. Aujourd'hui son métier n'existe plus.

(b) Habitante d'une ville du Midi, elle porte rarement de nos jours ce costume élégant.

(c) C'est actuellement, comme autrefois, un produit culinaire.

(d) Elle est vendeuse de produits de la mer. Au bon vieux temps elle portait un bonnet très particulier.

(e) On la met dans de petits sachets – comme faisaient à l'époque nos grands-mères – pour parfumer le linge.

2   In the definitions in step 1, find the equivalents of the following words.

Trouvez les équivalents.

(a) maintenant

(b) avant

Activité 9

Complete the text below, using a verb from the box in the appropriate tense.

Complétez le texte suivant.

Maintenant, comme avant, on (1) _____ la saveur délicate de l'huile d'olive dans la cuisine. Autrefois on (2) _____ les presses d'olive à la main. Même aujourd'hui certains artisans (3) _____ ces méthodes traditionnelles de fabrication. Au bon vieux temps on (4) _____ un cheval pour faire tourner la meule.

De nos jours les gens (5) _____ plus au régime et à la bonne santé. Nous (6) _____ bien actuellement les effets bénéfiques de l'huile d'olive.

la meule
grind stone

observent • attache • pensent • comprenions • observaient • actionnait • attachait • appréciait • pensaient • apprécie • actionne • comprenons

Activité 10 🎧 Extrait 27

larmes (f. pl.)
tears

1   Listen to Extract 27 in which Alain talks about his first car. Does he still own it?

Écoutez l'extrait. Alain a-t-il toujours une 2CV ?

2   Listen again. Tick the correct answers.

Cochez les bonnes réponses.

(a) Alain a acheté la 2CV...

    (i) neuve.   ❑

    (ii) d'occasion.   ❑

    (iii) pas chère.   ❑

(b) Le toit et les sièges étaient en...

    (i) métal.   ❑

    (ii) toile.   ❑

    (iii) plastique.   ❑

(c) Alain sortait les sièges pour...

    (i) faire des réparations. ❑

    (ii) dormir.   ❑

    (iii) pique-niquer.   ❑

(d) La C5 est...

    (i) plus performante que la 2CV. ❑

    (ii) moins performante que la 2CV. ❑

    (iii) aussi performante que la 2CV. ❑

(e) La Deuche était...

    (i) moins belle que la C5. ❑

    (ii) moins laide que la C5. ❑

(f) Alain a revendu la 2CV en...

    (i) 1962.   ❑

    (ii) 1972.   ❑

    (iii) 1982.   ❑

3   In the sentences in step 2, underline instances of the imperfect tense. In which sentences was it used for...

Soulignez les verbes qui sont à l'imparfait.

(a) a description?

(b) a repeated action?

You have already learned how to use the imperfect tense to talk about repeated actions in the past and to describe past situations. Such descriptions may be of:

- How things were at the time

    La radio n'existait pas.
    Radio did not exist.

    Il pleuvait quand je suis parti.
    It was raining when I left.

- Physical characteristics

    La maison traditionnelle était très sombre.
    The traditional house was very dark.

- Personality traits

    Alain était paresseux à l'école.
    Alain was lazy at school.

- A state of mind

    Quand j'ai revendu la 2CV j'étais triste.
    When I sold the 2CV I was sad.

Activité 11

1   Read this description, taken from a booklet on sale at the Antiques Fair. What is the main difference between the style of playing described here and that of modern drummers?

    Lisez l'article.

Le tambourinaire

À l'époque où les CD et les discothèques n'existaient pas, ce musicien talentueux de Provence accompagnait ceux qui dansaient la farandole. Son tambour avait une forme assez particulière: plus longue et plus étroite que la normale. De nos jours, presque tous les joueurs de tambour se servent de deux baguettes. Le tambourinaire, par contre, jouait avec une seule baguette qu'il tenait de la main droite. Car ce musicien d'autrefois était ambidextre. En même temps qu'il battait la mesure, il manipulait de l'autre main une petite flûte qui s'appelait 'un galoubet'. Quelle virtuosité et quelle économie de ressources humaines!

baguette (f.)
drumstick

2   Match each of the following examples of the imperfect tense to a description of its use.

Trouvez la bonne description.

(a) Le tambourinaire jouait avec une seule baguette.	(i) Describing a situation
(b) Ce musicien était ambidextre.	(ii) Relating a repeated action
(c) Les discothèques n'existaient pas.	(iii) Describing a physical characteristic

3   Look again at the drawing of the *poissonnière* in Activity 7. Write a couple of sentences about her in the imperfect tense, describing what she used to do for a living, the context in which she worked and her physical appearance. Include vocabulary and phrases you met in Activities 7 and 8.

Faites une description.

Activité 12 🎧 Extrait 28 _____

1   Read these questions which Jean-Claude was asked about his first car. Which tense has been used for each?

Indiquez les temps.

(a) Votre première voiture, elle était comment?

(b) Vous l'avez achetée neuve ou d'occasion?

(c) Vous l'avez revendue?

(d) Votre voiture actuelle est très différente?

2   Listen to Extract 28, where Jean-Claude answers these questions. Tick below any information which is correct, according to what you heard in the extract.

Écoutez et cochez les bonnes réponses.

(a) La première voiture de Jean-Claude était...

    (i)   une Dauphine.   ❑

    (ii) une 2CV.   ❑

    (iii) japonaise.   ❑

(b) Comparée à sa première voiture, la voiture actuelle de Jean-Claude est...

    (i)   plus rapide.   ❑

    (ii) moins confortable.   ❑

    (iii) plus polluante.   ❑

(c) Jean-Claude a acheté sa première voiture...

(i) neuve. ❑

(ii) d'occasion. ❑

(iii) à son père. ❑

(d) Comparée à sa voiture actuelle, la première voiture de Jean-Claude était...

(i) moins maniable. ❑

(ii) plus petite. ❑

(iii) plus agréable à conduire. ❑

Activité 13 🎧 Extraits 27 et 28

1 Look again at the questions in Activity 12, step 1.
   Relisez les questions.

2 Listen again to Extracts 27 and 28 and read the transcripts. Pretend to be Alain and answer the questions asked in Extract 28. Use the same tense as in the questions.
   Jouez le rôle d'Alain.

3 Now talk about your own first car for a minute, using the questions in Activity 12, step 1 as a guide. If you have never owned a car, speak about another item (such as a bicycle or a computer). Record yourself.
   Parlez de votre première voiture.

Session 3

At the Antiques Fair, you overhear visitors being interviewed about their home towns. Later, Alain and Charlotte talk about healthy lifestyles.

Key Learning Points

- Talking about change
- Making comparisons using *plus de*, *moins de* and *autant de* with nouns
- Using *de plus en plus* and *de moins en moins*

éviter
to avoid
mieux
better

Activité 14 🎧 Extrait 29

1 Listen to the interviews with Agnès and Philippe in Extract 29. What are they talking about?
   De quoi parlent-ils?

2   Listen again to Extract 29. Write the name of the town(s) to which the expressions in the left-hand column refer.

Écrivez le nom de la ville.

(a) circulation	(i) parcs
(b) jeunes	(ii) campus universitaire
(c) cité étudiante	(iii) transports en commun
(d) espaces verts	(iv) stationner la voiture
(e) tramway	(v) nombre de véhicules
(f) se garer	(vi) supermarchés
(g) grandes surfaces	(vii) personnes de moins de 21 ans

3   Link each expression from the left-hand column in the table above to a related expression in the right-hand column.

Associez les mots à leurs équivalents.

4   You already know the meaning of *plus* and *moins*. In Extract 29 you heard *de moins en moins* and *de plus en plus*. What do you think these mean?

Expliquez le sens.

G 22   **Making comparisons using nouns**

*Plus **de**..., moins **de**...* and *autant **de**...* are used with nouns to make comparisons:

> *Avant, il y avait **plus de** cafés.*
> There used to be **more** cafés before.

> ***Moins de** cinquante habitants sont venus.*
> **Fewer than** fifty inhabitants came.

> *On ne trouvait pas **autant de** tramways.*
> You didn't find **as/so many** trams.

These expressions may be followed by *que/qu'*:

> *Il y avait **moins de** papiers dans les rues **que** maintenant.*
> There was **less** litter in the streets **than** now.

De plus en plus and *de moins en moins* mean 'more and more' and 'less and less'. They can be followed by *de* + noun:

> *Il y a **de moins en moins de** problèmes de circulation.*
> There are **fewer and fewer** traffic problems.

or used on their own with verbs:

> *Je fume **de moins en moins**.*
> I am smoking **less and less**.

or followed by adjectives:

> *Les villes sont **de plus en plus** polluées.*
> The cities are **more and more** polluted.

Note the liaison in these expressions:

> *de plus en plus   de moins en moins*

Activité 15 🎧 Extrait 29

Listen again to Extract 29 and fill in the gaps in the following sentences according to what you hear, using the phrases in the box below.

Écoutez et complétez les phrases.

1   À Grenoble, il y a _____ espaces verts.

2   À La Rochelle, il y a _____ problèmes de circulation.

3   Dans les deux villes, il y a _____ grandes surfaces qu'autrefois.

> plus de • de plus en plus de • de moins en moins de

Activité 16 🎧 Extrait 30

Listen to Extract 30. Answer in the pauses using the same tense as in the question.

Écoutez et parlez dans les pauses.

Exemple

You hear: Il y avait autrefois beaucoup de cafés?
(Oui, plus.)

You reply: Il y avait plus de cafés.

Activité 17

Complete these sentences following the English prompts, using *plus (de)*, *moins (de)*, *aussi* or *autant (de)* and the words in brackets. Make any necessary adjustments to the endings of adjectives and verbs.

Complétez les phrases.

Exemple

À Strasbourg les banlieues sont (grand – *same as before.*)
À Strasbourg les banlieues sont **aussi grandes qu'avant**.

1   Autour de Strasbourg on a construit (centres commerciaux – *more*).

2   Avant il y avait (transports en commun – *less than today*).

3   Le centre-ville est toujours (agréable – *same*).

4   Avec le nouveau tramway on (circuler – *less*) aujourd'hui en voiture.

5   Les petites rues sont (pollué – *less than before*).

6   On trouve, bien sûr, (touristes – *same amount*) à Strasbourg.

j'espère
I hope

choux (m. pl.)
à la crème
cream cakes
(chou = *also*
'cabbage')

mon faible
my weakness

Activité 18 🎧 Extrait 31

1 Listen to Extract 31. Who do you think is more concerned about a healthy lifestyle, Alain or Charlotte?

Écoutez et répondez à la question.

2 Listen again to Extract 31. Tick the boxes according to what Alain says about his current lifestyle.

Réécoutez et cochez les cases.

	Autant	Plus	Moins	De plus en plus	De moins en moins
Café					
Sucre					
Eau minérale					
Produits allégés					
Produits au beurre					
Exercice					
Produits frais					
Tartes aux fraises					
Gâteaux au chocolat					

3 Charlotte is drinking less and less coffee and eating more and more fresh produce. How would she say this?

Rédigez les propos de Charlotte.

Activité 19

Charlotte's lifestyle has changed since she has been using the Internet. Make up five sentences about these changes according to the ticks in the table below.

Parlez de son style de vie.

Exemple

Elle envoie de plus en plus de courriels.

	De plus en plus (de)	De moins en moins (de)
envoyer courriels	✔	
être enthousiaste	✔	
écrire lettres		✔
acheter par Internet	✔	
faire exercice		✔

Activité 20

espérance (f.) de vie
life expectancy

Read the following excerpt from an Internet article which Charlotte found and tick the correct answers.

Lisez l'article et cochez les bonnes réponses.

À la recherche du temps prolongé

Une seule de nos vingt-deux régions – le Midi-Pyrénées – a une superficie de plus de 45 000 km². La Corse et l'Alsace, par contre, mesurent moins de 9 000 km². En Île-de-France on compte presque 11 millions d'habitants – beaucoup plus que dans toute autre région. En Aquitaine, par exemple, il y en a un peu moins de 3 millions.

La population du Nord-Est de notre pays continue à diminuer. De plus en plus de 'migrants' s'installent dans les régions de l'Ouest et du Sud-Ouest. Coïncidence, peut-être, mais l'espérance de vie est nettement plus longue en Poitou-Charentes (hommes: 75,9 ans; femmes: 83,3 ans) qu'en Picardie (hommes: 73,5 ans; femmes: 81,5 ans.)

(INSEE)

1 Superficie: 45 348 km²
   (a) Midi-Pyrénées ❑
   (b) Alsace ❑

2 Population: 10 952 000
   (a) Aquitaine ❑
   (b) Île-de-France ❑

3 Espérance de vie femmes: 83,3 ans
   (a) Poitou-Charentes ❑
   (b) Picardie ❑
   (c) Aquitaine ❑

Activité 21

Write about 75 words about a town you know, comparing it now with how it used to be. Try to include examples of the structures you met in G22. You may find it useful to refer first to Activities 14 and 15 and Extract 29.

Écrivez environ 75 mots sur une ville que vous connaissez.

Session 4

Alain and Charlotte talk about the past.

Key Learning Points

- Discussing the 'good old days'
- Forming and using adverbs
- Making comparisons using *plus*, *moins* and *aussi* with adverbs

Activité 22

1   Read these statements Alain made in a discussion about the past and the present. Which does he prefer?

Lisez les arguments d'Alain. Est-ce qu'il le préfère le présent ou le passé?

(a) Beaucoup plus de gens faisaient un travail physique, à l'extérieur, c'était moins stressant.

(b) On mangeait mieux – on ne connaissait pas autrefois le fastfood.

(c) Franchement, c'était plus agréable de manger à la maison, en famille, à midi.

(d) On invitait plus souvent des amis. On discutait longuement ensemble. On jouait aux boules.

(e) Évidemment, on n'avait pas le portable, mais on contactait ses amis aussi fréquemment qu'aujourd'hui. C'était très agréable de recevoir des lettres.

(f) Quand j'étais jeune, on voyageait moins vite. Voyager lentement, c'est voyager mieux. On fait plus attention. De nos jours les gens voyagent de plus en plus rapidement mais ils apprécient de moins en moins bien les choses qu'ils ont vues.

2   In the sentences in step 1, underline the French equivalents of these adverbs.

Soulignez les adverbes.

(a) frankly

(b) at length

(c) obviously

(d) frequently

(e) slowly

(f) quickly (two words)

3   What do you notice about the ending of most of these adverbs?

Qu'est-ce que vous remarquez?

Activité 23 🎧 Extrait 32

1 Listen to Extract 32. Does Charlotte think things are better now than in the past? What are her reasons?

Qu'est-ce que Charlotte pense du passé? Pourquoi?

2 Re-read Activity 22, where Alain gives his views on the past. Read the transcript of Extract 32. Order Alain's views to provide replies to Charlotte.

Indiquez le bon ordre.

G 23 Forming adverbs

Many adverbs end in '-ment' and are formed from the **feminine** form of an adjective.

Adjective		Adverb
lent, lente	slow	lentement
heureux, heureuse	fortunate	heureusement
franc, franche	frank	franchement

There are exceptions. You already know *bien*. Here are four more which do not follow the usual pattern:

vraiment   truly, really (feminine *vraie*)

gentiment   kindly, nicely (feminine *gentille*)

brièvement   briefly (feminine *brève*)

vite   quickly

Some words function both as adjectives and adverbs:

dur   hard

fort   strongly, very much

Activité 24

1 Re-read the transcript of Extract 32. Write down and translate any adverbs ending in '-ment'.

Traduisez les adverbes.

2 Look again at the adverbs you listed for step 2 of Activity 22 and step 1 of this activity. You already know *vite* and *vraiment*. Now find three more which are not formed according to the usual pattern.

Trouvez des adverbes.

3   Complete the following sentences with an adverb derived from the adjective in brackets. All are formed according to the standard pattern.

Complétez les phrases.

(a) Je le connais _____ . (personnel)

(b) Norbert a parlé _____ . (indistinct)

(c) Parlons _____ ! (franc)

(d) Cet étudiant va _____ en classe. (régulier)

(e) Sortez _____ ! (immédiat)

(f) Notre oncle vient _____ nous voir. (rare)

(g) Il est _____ fou ! (complet)

G 24   Making comparisons using adverbs

Adverbs, like adjectives, can be compared, using *plus*, *moins* or *aussi* with *que/qu'*.

> *On travaillait certainement **plus** dur.*
> People certainly worked harder.

> *On voyageait **moins** vite.*
> We used to travel less quickly.

> *Nous ne contactons pas nos amis **aussi** fréquemment **qu'**avant.*
> We don't contact our friends as frequently as before.

De plus en plus and *de moins en moins* can be used before adverbs:

> *On voyage **de plus en plus** rapidement.*
> We travel more and more quickly.

> *Je joue aux boules **de moins en moins** souvent.*
> I play *boules* less and less often.

Bien becomes *mieux* in comparisons:

> *Tu mangeais **bien**?*
> You used to eat well?

> *Maintenant je mange **mieux**.*
> Now I eat better.

> *Je dors **de mieux en mieux** actuellement.*
> I sleep better and better now.

Note the liaison in *de mieux en mieux*.

Note the difference between *meilleur(e)* (which you learned in Unit 4, Session 4) and *mieux*.

> *On a une **meilleure** vue d'ici.*
> We have a better view from here.

> *On voit **mieux** d'ici.*
> We can see better from here.

Activité 25

Complete the following sentences taken from Alain's school report, using the information in brackets.

Complétez ces phrases.

> **Exemple**
>
> Alain travaille (+ dur) mais comprend (– bien) la grammaire.
>
> *Alain travaille* **plus dur** *mais comprend* **moins bien** *la grammaire.*

1   Il rend ses devoirs (a) (+ régulièrement) et il est (b) (– souvent) absent.

2   Alain arrive (a) (+ fréquemment) à l'heure aux cours et s'organise (b) (+ bien) qu'avant.

3   Il calcule (a) (= vite) que les autres membres de la classe, mais il interprète (b) (– rapidement) les instructions.

4   Il parle (a) (+ facilement) et écrit (b) (+ bien) que les autres membres de la classe.

Activité 26 🎧 Extrait 33

Listen to Extract 33 and speak in the gaps, following the prompts.

Écoutez et parlez dans les pauses.

> **Exemple**
>
> **Vous entendez:** voyager – vite – de plus en plus
>
> **Vous dites:** Aujourd'hui on voyage de plus en plus vite.

Activité 27

1   Read Christine's views below and then translate the expressions in brackets into French.

Traduisez les expressions entre parenthèses.

(a)   (*Fortunately*) de nos jours, on voyage (*more and more quickly*). Les voitures sont (*more comfortable*) et (*more powerful*).

(b)   (*Certainly*), au bon vieux temps on mangeait (*better*): (*more fresh produce*).

(c)   Mais autrefois les gens sortaient (*less regularly*). Il y avait (*fewer restaurants*).

(d)   (*Personally*), je contacte ma famille (*less and less frequently*) maintenant. (*I write less*) dans mes courriels.

(e)   (*Frankly*), c'était très agréable de recevoir des lettres (*more often*).

2   Your turn now to express your views. Say whether you agree with each of the sentences in step 1 and if not, explain what you do/used to do instead. Record yourself speaking when you are satisfied with your answers.

Exprimez votre point de vue. Commencez par les mots:

D'accord, on voyage plus rapidement maintenant mais…

In this session you will revise making comparisons and using the imperfect tense for descriptions in the past.

Activité 28

The flat in which Alain used to live was very different from the house he now owns. Study the plan and drawings of his former flat (below and opposite), then write about 50 words describing it and comparing it with his present home. Mention at least two features where the contrast is striking. You may wish to look again at Activity 2, where Alain's current home is described. You may also wish to revise the ways of describing homes and buildings you met in Unit 6. Take care to use the present or imperfect tenses as appropriate, together with the phrases referring to the past and the present which you have practised in this unit.

Écrivez 50 mots sur l'appartement. Commencez votre description par les mots:

Autrefois Alain avait un appartement au troisième étage…

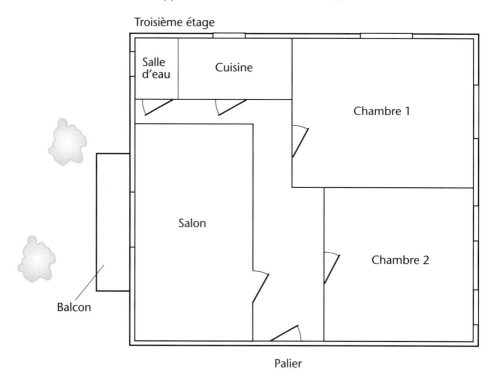

Ancien appartement d'Alain: plan

Le salon avec vue sur le parc

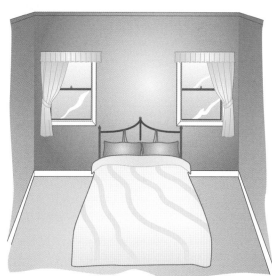

Intérieur de la petite chambre

Activité 29 🎧 Extrait 34

1 Listen to the interviews with Jean-Claude, Pascal and Maryse in Extract 34. Why are they able to do certain things now which they could not do before?

Écoutez les interviews et cochez la bonne réponse.

Is it...

(a) ... because they have retired?   ❏

(b) ... because they have a computer?   ❏

(c) ... because of the 35 hour week?   ❏

2 Listen again. Tick the boxes to show who refers to each activity (regardless of whether they actually do it).

Cochez les cases appropriées.

	Jean-Claude	Pascal	Maryse
(a) consulter ma banque	❏	❏	❏
(b) faire des recherches	❏	❏	❏
(c) envoyer des courriers par la poste	❏	❏	❏
(d) acheter par Internet	❏	❏	❏
(e) obtenir immédiatement une information	❏	❏	❏
(f) contacter des sites étrangers	❏	❏	❏
(g) lettre manuscrite	❏	❏	❏
(h) se connecter sur le site	❏	❏	❏
(i) contacts téléphoniques	❏	❏	❏
(j) courriers électroniques à ma famille	❏	❏	❏

3 Find the French for the following phrases in step 2.

Trouvez les phrases.

(a) foreign websites

(b) handwritten

(c) log on to

4 Using the information from Extract 34 and the phrases from the list in step 2, write at least two sentences about what each interviewee does now and used to do.

Écrivez deux phrases pour chaque personne.

Aujourd'hui _____ .

Autrefois _____ .

Activité 30 _____

1 Look at the transcript of Extract 34 and underline any phrases which express ways of communicating.

Soulignez des phrases.

2 Speak for about 30 seconds about your contacts with friends and family, or businesses. Using the present and imperfect tenses, compare how you communicate now with how you used to contact people. Use some of the phrases you identified in step 1.

Parlez de vos contacts.

Activité 31

Pyramide des contraires

Fill in the pyramid with a single word that means the opposite of each clue.

Remplissez la pyramide.

1 De

2 Au

3 Beaucoup

4 Moins

5 Petit

6 Clair

7 Triste

8 Souvent

9 De nos jours

10 Au bon vieux temps

11 Peu souvent

12 Autrefois

13 Après longtemps

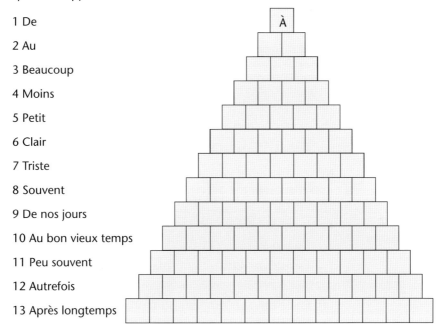

Activité 32 Extrait 29

Listen again to Extract 29. Select one item from each column to make up eight sentences according to the information in the extract. Use each phrase in the table at least once.

Faites huit phrases.

> ### Exemple
> À La Rochelle il y a plus de grandes surfaces qu'autrefois.

À La Rochelle	il y a	moins	de	grandes surfaces	que	autrefois
À Grenoble	il y avait	plus	d'	voitures	qu'	maintenant
Dans ces deux villes	il n'y avait pas	autant		immeubles		avant
	il n'y a pas			problèmes de circulation		aujourd'hui
				jeunes		
				espaces verts		
				pollution		
				transports en commun		

Activité 33

1 Read this magazine article and say which of the nationalities mentioned eats the most sweets.

Lisez l'article.

Gourmands

3,8 kg de bonbons par personne

Chaque Français dévore chaque année près de 4 kg de bonbons! Moins que les Suédois, pourtant, qui engloutissent près de 10 kg, mais bien plus que les Japonais ou les Portugais, très raisonnables avec 1,1 kg. Et n'allez pas croire que nous, les femmes, soyons plus faibles que ces messieurs: face à la gourmandise nous sommes égaux.

engloutissent
gobble up

près de
nearly

n'allez pas croire
don't think

nous [...] soyons
(we) are

(*Femme Actuelle*, No 929, 15–21 juillet 2002)

2 Make each set of words into a sentence with a comparison, based on the information in the article. Make any adjustments necessary to verbs and adjectives.

Faites des comparaisons.

Exemple

Français – être – gourmand – Portugais

Les Français sont plus gourmands que les Portugais.

(a) En ce qui concerne les bonbons, – Portugais – être – raisonnable – Japonais

(b) Suédois – consommer – bonbons – Japonais

(c) Français – manger – bonbons – Françaises

(d) Français – consommer – bonbons – Japonais – mais – Suédois

Activité 34

Joël has recently moved to the country. His life is changing. Say a sentence about him for each of the aspects in the table, using *de plus en plus (de)*, *de moins en moins (de)* or *de mieux en mieux*.

Parlez de Joël.

Exemple

*Joël travaille **de plus en plus** à l'extérieur.*

		more and more	less and less	better and better
1	travailler à l'extérieur	✔		
2	être stressé		✔	
3	se promener loin à vélo	✔		
4	voir – souvent – amis		✔	
5	dormir			✔
6	sortir le soir		✔	
7	manger			✔

Activité 35

Look at the questionnaire below and put the verbs in brackets into the present or imperfect tense, depending on the context.

Écrivez les verbes au présent ou à l'imparfait.

Maintenant je positive!

Cochez les cases pour savoir si vos opinions ont évolué au cours de cette année.

1 **Au début du cours L192 (a) j'(apprendre) _____ du nouveau vocabulaire.**

   – très lentement ☐

   – assez bien ☐

   – facilement ☐

2 **Maintenant (b) je (parler)…**

   – de mieux en mieux. ☐

   – avec un peu plus de confiance. ☐

   – avec hésitation. ☐

   – couramment. ☐

3 **Quand (c) j'(être) adolescent(e) je _____ la grammaire.**

   – (d) (détester) ☐

   – (e) (trouver) très compliquée ☐

   – (f) (comprendre) bien ☐

   – (g) (apprécier) beaucoup ☐

4 **Je (h) (savoir) actuellement _____ sur la culture française.**

   – beaucoup plus ☐

   – un peu plus ☐

   – autant qu'avant ☐

5 **Autrefois je…**

   – (i) (s'ennuyer) pendant les cours de langue. ☐

   – (j) ne (vouloir) pas apprendre une langue étrangère. ☐

   – (k) (avoir) envie d'étudier une langue. ☐

   – (l) (adorer) les langues. ☐

FAITES LE BILAN

Now that you have finished the first five sessions of this unit, you should be able to:

Talk about ways of life today and in the past ❑

Use the imperfect tense to describe what things were like in the past ❑

Talk about change ❑

Form and use adverbs ❑

Make comparisons using a wide range of structures ❑

Tick each box when you think you can do each point. If you are not sure about something, go back and revise it in the appropriate session.

Session 6

You and Christine visit Charlotte's house and find her having trouble with some purchases she's ordered.

Key Learning Points

• Making a complaint in writing and by telephone

• Using *ça fait que* + present tense

Activité 36

1   Read these extracts from Charlotte's e-mails.

Lisez ces courriels.

> J'ai commandé récemment des articles dans votre catalogue, des bols en porcelaine et une cafetière. Un des bols était cassé à l'arrivée et la cafetière était endommagée. Pourriez-vous remplacer ces articles, s'il vous plaît?

> J'ai dû renvoyer deux vêtements. Le pantalon n'était pas le modèle commandé et le pull n'était pas la bonne taille. Je vous ai envoyé 2 courriels mais vous ne m'avez même pas répondu. C'est vraiment inacceptable. Pourriez-vous me rembourser immédiatement, s'il vous plaît? Je suis très déçue.

> J'ai passé une commande par Internet il y a 15 jours mais, jusqu'ici, je n'ai rien reçu. Si je ne reçois pas ces articles avant le week-end prochain, je vais annuler la commande. Je dois vous dire que je ne suis pas du tout satisfaite de votre service.

2   Underline the phrases in the e-mails which are illustrated by these drawings.
    Soulignez les phrases.

(a)

(b)

(c)

(d)

(e)

3   Find the French for the following.
    Cherchez les phrases.

(a) I ordered some goods recently.

(b) Could you replace these items?

(c) I had to return two items of clothing.

(d) I've sent you two e-mails.

(e) You haven't even answered me.

(f) Could you reimburse me?

(g) I placed an order over the Internet.

(h) Up to now.

(i) To cancel the order.

4   Find and write down three phrases from the e-mails expressing
    dissatisfaction. Work out their meanings in English.
    Écrivez les phrases qui expriment l'insatisfaction et traduisez-les en anglais.

Activité 37

1   Complete this e-mail, using words or phrases from the e-mails in Activity 36.

Complétez ce courriel.

Numéro de client: E19

J'ai (a) _____ une commande (b) _____ Internet
(c) _____ quinze jours. J'ai dû (d) _____ des articles parce que le
livre était (e) _____ et la radio n'était pas le
(f) _____ commandé. Je vous ai (g) _____ deux courriels mais,
jusqu' (h) _____ vous ne (i) _____ répondu. Pourriez-vous
(j) _____ ces (k) _____ , s'il vous plaît?
Si je ne reçois pas des articles de remplacement (l) _____ mardi
prochain, je vais (m) _____ la commande.

---

2   Add two phrases of dissatisfaction where appropriate.

Ajoutez deux phrases qui expriment l'insatisfaction.

Activité 38 🎧 Extrait 35

exemplaire (m.)
copy

1   Listen to Extract 35. Charlotte is on the telephone. Is she a satisfied
customer at the end of her call? Why (not)?

Est-ce que Charlotte est contente? Pourquoi (pas)?

2   Listen again. Which phrases from Activity 36, step 3 (p. 99) did you hear?

Indiquez les phrases.

3   Listen again. Tick the correct answer.

Cochez la bonne réponse.

(a) How long was Charlotte hanging on the telephone?

(i)   two minutes   ❑

(ii) five minutes   ❑

(iii) not at all   ❑

(b) How long has she been waiting for the book?

(i)   three weeks   ❑

(ii) a fortnight   ❑

(iii) five days   ❑

4   Read the transcript of Extract 35. How does Charlotte say how long she's
been waiting for her book to arrive?

Trouvez l'équivalent.

You have already used the present tense + *depuis* to talk about something which started in the past but is still going on (see Unit 8, Session 6).

> *J'habite Avignon depuis dix ans.*
> I have been living in Avignon for ten years.

Ça fait … que + present tense is used in similar circumstances but is more emphatic.

> *Ça fait dix minutes que je patiente.*
> I've been waiting for ten minutes.

Note carefully the word order in each of these expressions.

Activité 39

Re-write the following sentences, using *ça fait que* instead of *depuis*.

Transformez les phrases.

Exemple

Elle demande une promotion depuis trois ans.
Ça fait trois ans qu'elle demande une promotion.

1   J'attends le paquet depuis une dizaine de jours.

2   On fait la queue à la caisse depuis un quart d'heure.

3   Tu mets cette crème depuis une semaine – elle n'est pas efficace?

4   Je patiente depuis dix minutes et son poste est toujours occupé!

5   Nous cherchons dans ce document depuis cinq minutes – il n'y a pas de numéro de client!

Activité 40 Extrait 36

Listen to Extract 36. Speak in the pauses, using *ça fait … que* and the information given.

Parlez dans les pauses.

Exemple

Vous entendez: Patienter – dix minutes.

Vous dites: Ça fait dix minutes que je patiente.

Activité 41

1   Read this advice issued by the 'Commande Exprès' company. What did Charlotte have to do to return goods to them?

Qu'est-ce qu'elle a dû faire?

le bon
note

livraison (m.)
delivery

> À Commande Exprès vous êtes satisfait(e) ou remboursé(e). Vous avez 22 jours pour demander l'échange ou le remboursement de vos articles. Indiquez de façon précise les motifs de votre insatisfaction sur le bon d'échange (au dos du bon de livraison).

2 Read this excerpt from an SNCF booklet. What does the SNCF guarantee?

Lisez et répondez à la question.

L'horaire garanti

au moins
at least

montant (m.)
value

Lorsque votre train Grandes Lignes arrive à destination au moins 30 minutes après l'heure prévue (pour un parcours Grandes Lignes d'au moins 100 km) et lorsque ce retard lui est imputable, la SNCF s'engage, à titre commercial, à vous offrir une compensation sous forme de Bons Voyage. La compensation représente un tiers du prix de votre billet. Son montant ne peut être inférieur à 4,6 €.

3 Charlotte recently took a train from Avignon to Paris which (very unusually) arrived late (details below). Will she be eligible to receive compensation and, if so, how much will her travel vouchers be worth?

Est-ce que Charlotte va recevoir une compensation? Combien?

L'heure d'arrivée prévue	18 h 45
L'heure d'arrivée réelle	20 h 12
Cause du retard	travaux d'entretien
Prix du billet	63 €

Activité 42 🎧 Extraits 35 et 37

1 Another week has elapsed since you sent the e-mail in Activity 37. Having had no reply, you telephone the company. Listen again to Extract 35. Read the transcript and the e-mails in Activity 36. Use the following notes to prepare your role.

Préparez votre rôle.

- How long ago you placed the order.
- What you did with the goods.
- How many e-mails you've sent.
- That they haven't even replied.
- That you think this is unacceptable.
- That you want to cancel the order.
- Ask for a refund.

2 Listen to Extract 37 and speak in the pauses following the prompts.

Écoutez et parlez dans les pauses.

Charlotte talks about the work of one of her favourite authors: Antoine de Saint-Exupéry.

Key Learning Points

- Understanding short literary extracts and identifying tenses
- Expressing a consequence

Activité 43

1 Read the excerpts below from Saint-Exupéry's book *Le Petit Prince*, which Charlotte has shown you. What was the author's first career ambition?

Lisez le texte et répondez à la question.

2 Find a caption in the texts for each illustration.

Cherchez une légende pour chaque image dans les textes.

(a)

(b)

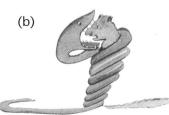

(c)

ferait-il peur?
*would it be
frightening?*

Texte 1

Lorsque j'avais six ans j'ai vu, une fois, une magnifique image, dans un livre sur la Forêt Vierge qui s'appelait 'Histoires vécues'. Ça représentait un serpent boa qui avalait un fauve. Voilà la copie du dessin.

On disait dans le livre: 'Les serpents boas avalent leur proie tout entière

[...] Ensuite ils ne peuvent plus bouger et ils dorment pendant les six mois de leur digestion.'

J'ai alors beaucoup réfléchi sur les aventures de la jungle et, à mon tour, j'ai réussi, avec un crayon de couleur, à tracer mon premier dessin. Mon dessin numéro 1.

Texte 2

J'ai montré mon chef-d'œuvre aux grandes personnes et je leur ai demandé si mon dessin leur faisait peur.

Elles m'ont répondu: 'Pourquoi un chapeau ferait-il peur?'

Mon dessin ne représentait pas un chapeau. Il représentait un serpent boa qui digérait un éléphant. J'ai alors dessiné l'intérieur du serpent boa, afin que les grandes personnes puissent comprendre. Elles ont toujours besoin d'explications.

Texte 3

Les grandes personnes m'ont conseillé d'oublier les dessins de serpents boas ouverts ou fermés, et de m'intéresser plutôt à la géographie, à l'histoire, au calcul et à la grammaire. C'est ainsi que j'ai abandonné, à l'âge de six ans, une magnifique carrière de peintre.

J'ai donc dû choisir un autre métier et j'ai appris à piloter des avions.

(Adapted from *Le Petit Prince*, A. Saint-Exupéry)

3   Which of the phrases underlined in the text correspond to the following?
    Associez ces phrases aux mots soulignés.

    (a) was swallowing a wild animal

    (b) true stories

    (c) advised me to forget

    (d) I showed my masterpiece

4   In the texts, find another word or phrase meaning:
    Cherchez les synonymes.

    (a) quand (texte1)

    (b) après (texte 1)

    (c) pour cette raison (texte 3)

5   (a) Underline all the examples of the *passé composé* in the text.
    Soulignez les verbes au passé composé.

    (b) What do all these examples tell you? Is it:
    Ces exemples expriment quel type d'action?

        (i)   What was going on at the time?

        (ii) What happened next?

        (iii) What the author was thinking?

6   Now write the infinitive of each verb identified as being in the *passé composé* in step 5.
    Écrivez les infinitifs.

7   Write 50 words describing the writer's personality when he was little, as it can be understood from the text. Use the questions below and the vocabulary in the box as a basis for your answer.
    Écrivez une description de l'auteur.

    •   Il était comment de caractère?

    •   Qu'est-ce qu'il voulait devenir?

    •   Qu'est-ce qu'il aimait/n'aimait pas faire?

    > dessiner • idées originales • imagination • lire • école • indépendant • sens de l'aventure • talentueux • images

Activité 44 🎧 Extrait 38

1   Listen to Extract 38 and answer the questions.
    Écoutez l'extrait et répondez aux questions.

    tu pleurais
    you were crying

    dompteuse (f.)
    tamer

    (a) What was Charlotte's first career ambition?

    (b) What did she become instead?

2   (a) Listen again. Tick any expressions below you hear.

Cochez les phrases que vous entendez.

(i)   voilà pourquoi ☐

(ii) en revanche ☐

(iii) lorsque ☐

(iv) donc ☐

(v)   c'est pour ça que ☐

(vi) ensuite ☐

(vii) c'est ainsi que ☐

(b) The expressions you should have ticked (see *corrigé*) all carry out the same function. What is it?

(i)   Connecting stages in a time sequence? ☐

(ii) Juxtaposing contrasting ideas? ☐

(iii) Linking an action with its consequences? ☐

G 26 Expressing a consequence

You have learned how to give a reason why something happened using *parce que* or *comme* (Unit 4, Session 3). To express a consequence you can use phrases like *donc, c'est ainsi que..., voilà pourquoi...* and *c'est pour ça que...*

*J'ai **donc** dû choisir un autre métier.*
So/therefore I had to choose another career.

***C'est ainsi que** j'ai abandonné cette ambition.*
So it was that I gave up this ambition.

***Voilà pourquoi** / **C'est pour ça que** je ne suis pas devenue trapéziste!*
That's why I didn't become a trapeze artist!

Activité 45 🎧 Extrait 38

1   Listen again to Extract 38. Using the information you heard, complete the statements below by choosing the correct expression from each pair of alternatives.

Complétez ces informations.

Alain a eu des problèmes avec la voiture,	(a) voilà pourquoi (b) par contre	(i) il est venu à vélo (ii) il voulait faire de l'exercice
Charlotte souffrait de vertige,	(a) parce qu' (b) c'est pour ça qu'	(i) elle avait peur (ii) elle a refusé de traverser le pont
Charlotte a dû abandonner sa première carrière,	(a) comme (b) c'est ainsi qu'	(i) elle est devenue infirmière (ii) elle est devenue professeur d'histoire

2 When Alain arrived, what did Charlotte say they were doing? Which tense did she use? Why?

Remarquez le temps.

FAIRY TALES AND FABLES

Le Petit Prince is Saint-Exupéry's best known work. It forms part of a longstanding French literary tradition of stories purportedly for children, but which can also be read at a different level by adults. For example, many of La Fontaine's *Fables*, poems written in the seventeenth century, contain a moral as applicable to the aristocratic world in which their author moved as to children.

Activité 46 🎧 Extrait 39

1 Read this entry from the Larousse dictionary and say whether the sentences below are true or false. Correct the false statements.

Corrigez les phrases qui contiennent une information inexacte.

> **SAINT-EXUPÉRY** (Antoine **de**), aviateur et écrivain français (Lyon 1900 – disparu en mission en 1944). Ses romans (*Vol de nuit*, 1931; *Terre des hommes*, 1939; *Pilote de guerre*, 1942) et ses récits symboliques (*Le petit prince*, 1943) cherchent à définir le sens de l'action et des valeurs morales dans la société moderne vouée au progrès technique.

vouée
dedicated

	Vrai	Faux
(a) Saint-Exupéry est né il y a une cinquantaine d'années.	❑	❑
(b) L'auteur a créé le personnage du Petit Prince il y a plus d'une soixantaine d'années.	❑	❑
(c) Il a fait son dernier vol dans les années cinquante.	❑	❑
(d) Il a rédigé des livres pendant une quinzaine d'années.	❑	❑
(e) Saint-Exupéry a écrit *Vol de nuit* au début des années quarante.	❑	❑

2 Listen to Extract 39 and answer in the pauses, following the prompts.

Écoutez et parlez dans les pauses.

Session 8

Maryse talks about what she likes reading, while Alain and Charlotte remember some famous people.

Key Learning Points

- Using *lequel, laquelle, lesquels, lesquelles*
- Talking about your tastes and preferences when you were younger

Activité 47 🎧 Extrait 40

quand j'ai su
lire
*when I could
read*

1 Listen to the interview in Extract 40. What was Maryse asked? Write out the question.

   Écoutez et écrivez la première question.

2 Listen again and tick the boxes below according to what you hear.

   Cochez les cases.

	Maryse	Ses parents	Ses filles
Qui lisai(en)t des contes?			
Qui écoutai(en)t des contes?			
Qui apprenai(en)t des fables à l'école?			

3 Tick any authors' names you heard.

   Cochez les noms que vous avez entendus.

   (a) Perrault   ❑
   (b) Grimm   ❑
   (c) La Fontaine   ❑
   (d) Hoffmann   ❑
   (e) Saint-Exupéry   ❑
   (f) Andersen   ❑

4 (a) One of the questions you heard was *Lesquels?* What do you think this means?

   (b) How do you think you would spell *lesquels* if it referred to a feminine noun like *les histoires*?

G 27 **Using 'lequel', 'laquelle', 'lesquels', 'lesquelles'**

In Unit 2, Session 4, you met the adjective *quel(le)* (and its plural form *quel(le)s*), used to ask 'which...?'

Lequel/laquelle/lesquels/lesquelles are pronouns, meaning 'which one(s)'. As you saw in Activity 47, they agree in gender and number with the noun they replace:

–**Mon roman** *préféré est de Victor Hugo.*
–*Ah oui,* **lequel?**
–My favourite novel is by Victor Hugo.
–Oh yes, which one?

Autrefois, mon grand-père fréquentait une actrice de cinéma. Je ne sais plus laquelle.
My grandfather used to go around with a film actress, I don't remember which one.

–*Mon père me racontait des* **histoires amusantes.**
–**Lesquelles?**
–My father used to tell me funny stories.
–Which ones?

Activité 48 🎧 Extrait 41

1   Write one word to ask 'Which one(s)?' after each statement.

Transformez ces phrases en questions d'un seul mot.

Exemple

Maman me lisait **une histoire** de Saint-Exupéry.
Laquelle?

(a) Chaque semaine ma sœur achetait un magazine.

(b) Je savais réciter plusieurs fables de La Fontaine.

(c) Notre professeur nous lisait des contes.

(d) Mes frères préféraient les BD.

(e) Ma grand-mère me chantait une chanson très drôle.

2   Listen to Extract 41, without looking at your answers from step 1. Say that you no longer know which, after each statement you hear.

Écoutez et parlez dans les pauses.

Exemple

Vous entendez: Chaque semaine ma sœur achetait **un magazine.**

Vous dites: Mais je ne sais plus **lequel.**

Activité 49

Record yourself talking about your reading habits when you were younger, using some of the phrases from Extract 40 and Activity 48. Try to include an example of the structure *Je ne sais plus lequel/laquelle/lesquels/lesquelles*. Include the following points:

- what, when and where you used to read when you were younger;

- whether anyone read to you;

- what those around you used to read.

Parlez de la lecture et enregistrez-vous.

Activité 50 🎧 Extrait 42

1   Listen to Extract 42. Christine is interviewing people about their role models. Is she asking about:

Écoutez les questions de Christine et cochez la bonne case.

(a) a friend they looked up to?   ❑

(b) a famous person they used to admire?   ❑

(c) someone who used to advise them?   ❑

2   Listen again. List the tenses Christine uses in each question.

Repérez les temps des verbes.

3   Christine asked Alain the same questions. Read the transcript and his answers (below), then put the answers in the correct order.

Mettez les réponses d'Alain dans l'ordre.

navigateur (m.)
yachtsman

(a) Quand j'étais adolescent je faisais souvent de la voile. J'estimais beaucoup le grand navigateur – Éric Tabarly.

(b) Il m'inspire toujours. Je relis en ce moment son livre *Mémoires du large*.

(c) C'était il y a très longtemps, juste après sa première victoire dans la Transat en solitaire. Il descendait en héros les Champs-Élysées.

(d) Oui, beaucoup de choses, en fait! En 1976 il a gagné pour la deuxième fois la course transatlantique en solitaire entre Plymouth et Newport. Malheureusement, il a disparu en mer il y a quelques années, au large du Pays de Galles.

(e) Je ne l'ai jamais rencontré, non, mais je suis allé le voir une fois, avec mon père à Paris. Nous l'avons salué de loin!

(f) C'était un homme très courageux, innovateur, mais modeste qui avait surtout le goût du risque. Il se passionnait pour la mer. J'admirais énormément sa force de caractère.

Éric Tabarly

4 Find alternatives to the following in Alain's answers.

Cherchez les synonymes.

(a) je lis de nouveau...

(b) il est mort

(c) un homme... qui aimait le risque

(d) je n'ai jamais été en sa présence

(e) j'appréciais...

(f) il s'enthousiasmait pour...

(g) il a remporté la victoire

5 Underline one sentence in each of Alain's replies which you think succinctly answers the question. Read these sentences aloud several times to prepare for step 6.

Lisez les phrases à haute voix.

6 Listen to Extract 42 again, pressing the pause button after each question, if possible. Without referring to your notes, answer as though you were Alain, with as many details as you can remember about Éric Tabarly.

Écoutez et répondez aux questions.

BEING AN ACTIVE LEARNER

After working on a text or audio extract, it is a good idea to try and remember as much of it as you can. Here are some ways of doing this:

• Write down any words or phrases from memory and then check them against the text or transcript.

• Play the audio extract again, pressing the pause button whenever you think you can remember the phrase about to follow. Say it aloud, then continue listening to check what you said.

• In between study sessions, when you are doing a routine activity like walking or washing up, go over new phrases in your head. Say them aloud if convenient!

Activité 51

1 Christine asked Charlotte the questions from Extract 42. Read the transcript and answer them in writing, as though you were Charlotte, using the cues below.

Répondez aux questions à l'écrit.

(a) J'avais 20 ans. Barbara – chanteuse.

ses propres
her own

(b) Voix douce – toucher public; sensible, mystérieuse (porter toujours le noir); écrire ses propres chansons.

malades (m. pl.) atteints du SIDA
people with AIDS

interprète (f.) *female performer*

Les Victoires de la musique *an annual competition for French musical artists*

(c) Travailler toute l'année 1989 pour malades atteints du SIDA; 1997 remporter 'Victoire de la musique': interprète féminine de l'année; décès – novembre 1997.

(d) Oui. Bordeaux; après concert, foyer des artistes.

(e) Parler spectateurs; donner interviews aux journalistes; signer programmes.

(f) Chanteuse préférée; écouter souvent disques.

2   Listen once again to Extract 42 and answer Christine's questions, using the cues from step 1. Record yourself if possible.

Écoutez et répondez aux questions.

Barbara

Session 9

Alain tells you about the history of the 2CV.

Key Learning Points

- Using tenses in a narrative
- Understanding the present tense when used to tell a story

Activité 52 🎧 Extrait 43

1   Listen to Alain talking in Extract 43. What surprises Christine about the history of the 2CV?

Écoutez. Qu'est-ce qui surprend Christine?

Citroën

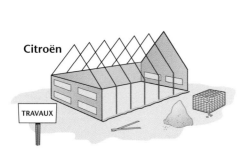

TRAVAUX

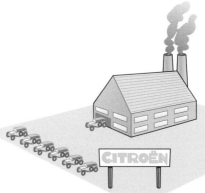

CITROËN

JOURNAL
'FÉLICITATIONS-
40 ANS'

JOURNAL
'NOUVEAU MODÈLE
CITROËN'

FRANCS

2 Should these pictures be followed
clockwise or anti-clockwise to
correspond with what you heard?

Dans quel sens faut-il suivre ces images?

'SALON DE L'AUTOMOBILE'

MICHELI

CITROËN

3   Listen again to the extract. In the sentences below, write the verbs in brackets in the tense you heard in the extract.

Mettez les verbes aux temps qui conviennent.

(a) André Citroën (construire) son usine en 1919.

(b) D'abord ses voitures (connaître) un énorme succès.

(c) Mais il (i) (dépenser) trop d'argent et il (ii) (accumuler) beaucoup de dettes.

(d) André (devoir) donner son usine à l'entreprise Michelin.

(e) C'est Pierre-Jules Boulanger qui (concevoir) l'idée d'une petite voiture pas chère pour transporter les produits agricoles.

(f) La future 2CV (naître).

(g) Le dernier prototype (rester) caché pendant la guerre.

(h) La 2CV (faire) son début en 1948.

(i) Elle (i) (être) laide. Les journalistes (ii) (se moquer) d'elle. Le public l' (iii) (aimer) tout de suite.

(j) On (fabriquer) des 2CV pendant quarante ans.

G 28   Using tenses in a narrative

It is often necessary to use several tenses in a narrative. The following guidelines should help you to choose the correct tense:

- The **present tense** expresses what **generally happens** or is **(still) happening now**:

    J'écoute ses chansons tous les jours.
    I **listen** to his/her songs every day.

    Ça fait dix ans que je l'admire.
    I **have admired** him/her **for** ten years.

- The *passé composé* is used for the main events in a story. It expresses **what happened next** in a sequence:

    Puis, il a remporté la victoire dans la Transat.
    Then he **won** the transatlantic race.

    It is also used for single, completed events:

    Il a construit l'usine il y a très longtemps.
    He **built** the factory a long time ago.

    Or something which had a definite end or time limit:

    Saint-Exupéry a été pilote pendant la Deuxième Guerre mondiale.
    Saint-Exupéry **was** a pilot during the Second World War.

- The **imperfect tense** is used to talk about **repeated actions**, including when using the negative.

  > *À l'époque, je **ne faisais pas** autant d'exercice.*
  > At the time I didn't take as much exercise.

  Or to describe what things were like:

  > *La nouvelle voiture **était** laide.*
  > The new car **was** ugly.

  Note the following expressions to indicate a period in one's life:

  > *Quand j'avais 13 ans… / À (l'âge de) 13 ans…*
  > When I was 13…

  > *Quand j'étais enfant / adolescent(e) / plus âgé(e)…*
  > When I was a child / teenager / older…

Activité 53 Extrait 43

Listen again to Extract 43. Write the verbs from Activity 52, step 2, beside the pictures, together with any associated dates or numbers – these will act as your notes – and tell the story of the 2CV. Practise several times until you can tell the story fluently and then record yourself.

Racontez l'histoire de la 2CV.

Activité 54

Read this text which Alain has given you and answer the questions.

Lisez le texte et répondez aux questions.

La 2CV fait tourner les têtes – et les films!

Dans les années 60, la 2CV entame une nouvelle carrière – celle de vedette de cinéma! Elle apparaît avec Louis de Funès dans une série de comédies, intitulée *Le Gendarme de Saint-Tropez.* Dans ces films la 2CV roule comme une voiture de formule 1. Qui est au volant? Une religieuse!

La 2CV est déjà une femme d'un certain âge lorsqu'elle se transforme en star hollywoodienne. En 1981 on se trouve sur l'île de Corfou. Une petite 2CV jaune entre en scène. De grosses voitures noires la pourchassent mais elle n'a pas peur! Tout d'un coup, elle prend son essor au-dessus de la grand-route pour s'enfoncer dans un labyrinthe de vieilles petites ruelles tortueuses. Mais qui la conduit à cette occasion? C'est, bien sûr, James Bond dans *Rien que pour vos yeux.*

Pour marquer la première de ce film en France, Citroën a fabriqué des 2CV jaunes et trouées de balles. Ce sont des 2CV 007!

pourchassent
are chasing

essor (m.)
flight

trouées de balles
with bullet holes

1   Which James Bond film is referred to in the text?

   (a) *Goldfinger*   ❏

   (b) *For Your Eyes Only*   ❏

   (c) *From Russia with Love*   ❏

2   (a) What happened to the 2CV in the 1960s?

   (b) When did Citroën launch the 2CV 007?

   (c) What did it look like?

Activité 55

Alain's love of the 2CV began in 1948, when he went with his family to the *Salon de l'Automobile* at which the new model was launched. Alain was an immediate enthusiast. He has now been asked to write an account of the day he fell in love with the 'Deuche' for a website run by fans of the car. Can you help him?

Write about 100–120 words in French describing Alain's first sight of a 2CV, according to the details below. Use *je*. Pay particular attention to your choice of tenses. Try to include some of the phrases you used when you narrated the history of the 2CV in Activity 53. Can you include the structure *je ne sais plus lequel / laquelle / lesquels / lesquelles*?

Écrivez un texte de 100 à 120 mots.

This outline for the account has been suggested by the website editor:

1   Vous et votre arrivée:

   (a) votre âge?

   (b) voyage; avec qui?

   (c) vous visitiez souvent des expositions?

2   Description de la 2CV:

   (a) votre opinion

   (b) réactions du public et de la famille

3   Autres visiteurs:

   (a) journalistes; agriculteurs, ami(e)(s)?

   (b) personnage célèbre? Pierre-Jules Boulanger?

   (c) qu'est-ce qu'ils faisaient?

4   Fin de la visite:

   (a) heure?

   (b) passer une commande?

In this session you are going to revise making a complaint; using *lequel*, *laquelle* and *lesquel(le)s*; using *depuis* and *ça fait que* with the present tense; selecting tenses and constructing a narrative about the past.

Activité 56

1 Read this company's returns policy.

Lisez cette politique de retours.

emballage (m.)
packaging

CATALOGUE DÉCLIC

Politique de retours

Si vous n'êtes pas satisfait(e) d'un article que vous avez commandé, vous pouvez nous le renvoyer, sous 28 jours, dans les conditions suivantes:

– CD, VHS et DVD doivent être renvoyés dans leur emballage d'origine, non descellés.

– Tout article doit être dans sa condition d'origine.

Nous vous remercions de bien vouloir remplir la partie B du bon de livraison inclus à l'origine dans votre paquet, en expliquant le motif du retour.

---

2 Answer the following questions.

Répondez aux questions.

(a) You ordered a video a week ago which you have not opened. You no longer want it. Can you return it to this company?

(b) How do you let the company know why you wish to return goods?

Activité 57

1 You have decided to return the following goods which you ordered over the Internet. You want a refund for item (a) and replacements for the others. Enter the information in part B of the delivery note opposite. Note the list of *motifs du retour* available to you. Remember to make any necessary adjective agreements.

Complétez le bon de livraison.

Item	Reference	Reason
(a) green trousers	06F	not suitable
(b) glass bowl	2408K	broken
(c) small black radio	269X	doesn't work properly
(d) leather bag	17M	not the one you ordered

Partie B

Commande: 06 Numéro de client: 8L50		Date: 26 septembre	
Référence	**Description**	**Motif du retour ***	**Échange ou remboursement (Voir partie C)**
Exemple: 0046	Pull rouge	Trop grand	Remboursement svp

* Sélectionnez une des options suivantes:

     trop petit

     trop grand

     pas le modèle commandé

     ne me convient pas

     endommagé pendant le transport

     défectueux

2   After some time you have still not received the replacement items, although the refund you requested has been made. Using the completed form as a reminder, telephone the company to ask for a refund.

Téléphonez pour demander un remboursement.

- Give your name and customer number.
- Say that you returned three articles and give the reasons why.
- Say that you asked for replacements and that you've been waiting for three weeks.
- Point out that they haven't replied and that is really unacceptable.
- Say that you would therefore like to cancel the order.
- Ask if they could refund you immediately, please.
- Say that you are not at all satisfied with their service.

Activité 58

1 Add the correct word for 'Which one(s)?' to turn the following statements into questions.

Transformez ces phrases en questions.

(a) Saint-Exupéry est né dans une des villes principales de France.
_____ ?

(b) Saint-Exupéry faisait deux métiers. _____ ?

2 Answer question 1 in French.

Répondez à la question.

3 Add the French word for 'which one(s)' to these sentences, then tick the correct answers.

Complétez les questions, puis cochez les bonnes réponses.

(a) Un des suivants est le prénom de Saint-Exupéry. _____ ?

(i) Albert ❑

(ii) Armand ❑

(iii) Antoine ❑

(iv) Alphonse ❑

(b) Deux sur trois des titres suivants sont des livres de Saint-Exupéry.
_____ ?

(i) *Histoires vécues* ❑

(ii) *Le Petit Prince* ❑

(iii) *Vol de nuit* ❑

(c) Deux de ces dates sont correctes. _____ ?

(i) 1900 – naissance de Saint-Exupéry ❑

(ii) 1943 – écrit *Le Petit Prince* ❑

(iii) 1959 – disparaît en mission ❑

Activité 59 🎧 Extrait 44

essence (f.)
petrol

1 Listen to Extract 44. Tick the boxes to show the locations of the speakers.

Cochez les cases.

	Pharmacie	Banque	Dans la rue	La poste	Station-service	Chez le médecin	Bureau
1							
2							
3							
4							

2   Listen again. Add the length of time you heard, in French, to the jumbled sentences below.

Insérez dans chaque phrase la durée mentionnée.

Première femme: ça – je – fait – patiente – que

Premier homme: la queue ici – on – fait – depuis

Deuxième femme: cette crème – je mets – depuis

Deuxième homme: ça – je cherche – fait – la Banque de Provence – que

3   Now write the words in each sentence in the correct order.

Remettez les mots dans le bon ordre.

Activité 60

Read this newspaper article and put the verbs into the *passé composé* or imperfect tense, as appropriate.

Complétez le texte.

fournitures (f. pl.)
materials
sentir
to smell of

JEANNE CALMENT NOUS QUITTE À L'ÂGE DE 122 ANS

La presse internationale (1) _____ (annoncer) cette semaine le décès de la personne la plus âgée du monde. Jeanne Calment (2) _____ (mourir) le 4 août, 1997 à Arles, sa ville natale.

À l'époque où Jeanne (3) _____ (naître), la Tour Eiffel (4) _____ (ne pas exister). On vivait sans électricité et on (5) _____ (communiquer) sans téléphone. Ces deux dernières inventions (6) _____ (arriver) quelques mois après la naissance de Jeanne le 21 février, 1875.

Jeanne (7) _____ (aimer) parler de ses rencontres avec van Gogh quand l'artiste (8) _____ (acheter) des fournitures de peinture dans la boutique de son père à elle. Jeanne trouvait que Vincent (9) _____ (être) laid et qu'il (10) _____ (sentir) l'alcool!

Active et lucide jusqu'aux derniers mois de sa vie, Jeanne (11) _____ (boire) régulièrement un verre de porto. Elle (12) _____ (fumer) une ou deux cigarettes par jour et, à l'âge de 85 ans, elle (13) _____ (apprendre) à faire de l'escrime. Plus tard, elle (14) _____ (enregistrer) un CD.

Malheureusement, Jeanne (15) _____ (ne pas laisser) de descendants. Sa fille et même son petit-fils sont décédés plus tôt qu'elle.

Write an account of about 120 words of the adolescence of a fictitious or historical character of your choice, transposed into a modern setting. Feel free to re-use existing information, but put it into your own words. Give the age of your character at significant points of their life. Choose carefully between the *passé composé* and imperfect tense.

Décrivez l'adolescence d'un personnage fictif.

Here are some points to include:

1   **Date et lieu de naissance** du personnage

2   **Son milieu familial:** frères et sœurs? métiers des parents?

3   **Description du personnage pendant son adolescence:** apparence, caractère

4   **Ses habitudes:** qu'est-ce qu'il ou elle faisait dans sa vie quotidienne, à l'école, pour s'amuser?

5   **Récit d'un incident qui indique le caractère ou le destin du personnage.**

FAITES LE BILAN

Now that you have finished the last five sessions of this unit, you should be able to:

Make a complaint in writing and by telephone	❑
Use *ça fait ... que* and *depuis* to talk about on-going actions and situations in the present	❑
Explain consequences	❑
Use *lequel, laquelle, lesquels* and *lesquelles*	❑
Understand short literary texts and identify the tenses used in them	❑
Understand and use the present, *passé compose* and imperfect tenses in a narrative	❑

Tick each box when you think you can do each point. If you are not sure about something, go back and revise it in the appropriate session.

Corrigés

Activité 1

1   A *bastide* is a traditional Provençal farmhouse or cottage.

2   (c)

3   (a) (v), (b) (ix), (c) (vii), (d) (x), (e) (viii), (f) (xi), (g) (vi), (h) (iv), (i) (xii), (j) (iii), (k) (i), (l) (ii)

4   Stéphane a posé des fenêtres à double vitrage plus larges, côté jardin.

Il a installé la climatisation.

Pour la peinture, il a choisi les couleurs du soleil.

5   (a)   As you saw in step 3, *élargir* means 'to widen', so *large* means 'wide' (not 'large').

(b) (i)   Wider (describes *fenêtres*).

(ii)   As traditional as possible (describes *proportions*).

(iii)   Less difficult to live with (describes *chaleur*).

You have already learned how to use *plus* and *moins* with adjectives to make comparisons. In G19, you will learn how to use *aussi* with adjectives to make comparisons.

Activité 2

1   No, not at all. He says *Transformé? Non, pas du tout.*

2   (a), (c), (d), (e), (g), (h), (j), (k), (l)

Note that *fraîche* and *nouvelle* are irregular feminine forms, of *frais* and *nouveau* respectively.

3   (a) (iii), (b) (v), (c) (iv), (d) (ii), (e) (i)

4   (a) Autrefois l'intérieur était **plus sombre** que maintenant.

(b) Autrefois la cuisine était **moins grande** que maintenant.

(c) Autrefois les couleurs étaient **moins claires** que maintenant.

(d) Autrefois l'ambiance était **aussi calme** que maintenant.

(e) Autrefois la construction était **aussi simple** que maintenant.

Check that you made the adjectives agree with the nouns they describe and used the appropriate form of *être*.

Activité 3

1   Charlotte

2   (a), (d), (b), (c)

3   (a)   Sortir moins. (*She hasn't got the time.*)

(b)   Dormir moins. (*She spends the nights surfing the Web.*)

(c)   Apprécier la géographie plus. (*She's met friends from all over the world.*)

If you had any difficulty answering these questions, check your transcript.

Activité 4

1   Est-ce que vous sortez **plus ou moins** maintenant?

Plus, oui, je sors **beaucoup plus** parce que je dois parler français **autant que possible**.

Et autrefois, vous travailliez **moins** en ligne?

Oui, **beaucoup moins que maintenant**.

Est-ce que vous vous reposez **autant** maintenant?

Je dors plus la nuit mais **je me repose moins** pendant la journée.

Activité 5

Check your answers on the CD and in the transcript. Note that in this extract, the '-s' of *plus* is sounded.

Activité 6

Here is a sample answer:

– Je travaille plus que mes collègues.

– Je gagne autant que mon chef.

– Je sors moins que mon frère.

Activité 7

Antiquités Antiques

Brocante Bric-à-brac

Produits du terroir Local produce

Danses traditionnelles Traditional dances (likely to be in costume)

Costumes folkloriques Traditional costumes (usually typical of the region)

Vieux métiers Old trades and crafts

Transports anciens Vintage vehicles

Marché artisanal Craft fair

Activité 8

1 (a) Le meunier (*miller*)

(b) L'Arlésienne (*the lady from Arles*)

(c) L'huile d'olive (*olive oil*)

(d) La poissonnière (*fish seller – note the feminine form of the profession*)

(e) La lavande (*lavender*)

2 (a) aujourd'hui (*today*), de nos jours (*these days*), actuellement (*at present*)

(b) jadis (*in days gone by*), autrefois (*in the past*), au bon vieux temps (*in the good old days*), à l'époque (*at that time*)

Note that *actuellement* does not mean the same as English 'actually'. It is a *faux ami*.

Activité 9

1	apprécie	4	attachait
2	actionnait	5	pensent
3	observent	6	comprenons

Activité 10

1 No. He now has a C5.

2 (a) (ii), (b) (ii), (c) (iii), (d) (i), (e) (i), (f) (ii)

3 (a) *Descriptions*: Le toit et les sièges **étaient** en toile; La Deuche **était** moins belle que la C5.

(b) *Repeated actions*: Alain **sortait** les sièges pour pique-niquer.

Activité 11

1 The *tambourinaire* played the drum with one hand, modern drummers use two.

2 (a) (ii), (b) (iii), (c) (i)

3 Here is a sample answer for you to compare with your own. Make sure you check carefully the endings of the imperfect tense.

À l'époque où les supermarchés n'existaient pas, une poissonnière vendait des produits de la mer. Elle portait une jupe longue et un bonnet très particulier.

Activité 12

1 (a) imperfect
(b) *passé composé*
(c) *passé composé*
(d) present

There is an extra '-e' on the end of *achetée* and *revendue*, because they describe the feminine noun *voiture*. If you are unsure about this, see Unit 9, Session 1.

2 (a) (i), (b) (i), (c) (ii), (d) (ii)

Activité 13

2 This is an example of what you might have said, using some of the phrases you heard in Extract 27.

(a) Ma première voiture était une 2CV. Elle était grise et laide! Le toit et les sièges étaient en toile.

(b) Je l'ai achetée d'occasion il y a une quarantaine d'années.

(c) Oui, je l'ai revendue en 1972.

(d) Oui, elle est très différente. Ma voiture actuelle est une C5. Elle est plus performante, plus confortable et moins laide que ma 2CV. Mais je l'aime moins!

3 Your answer will vary according to your circumstances; however, check that you included some of the phrases you heard in Extracts 27 and 28.

Activité 14

1 They're talking about Grenoble and La Rochelle and the changes that have taken place there.

2

(a) circulation	La Rochelle
(b) jeunes	La Rochelle
(c) cité étudiante	La Rochelle
(d) espaces verts	Grenoble
(e) tramway	Grenoble
(f) se garer	La Rochelle
(g) grandes surfaces	La Rochelle, Grenoble

3 (a) (v), (b) (vii), (c) (ii), (d) (i), (e) (iii), (f) (iv), (g) (vi)

4 *de moins en moins*: fewer and fewer, less and less; *de plus en plus*: more and more.

Activité 15

1 de moins en moins d'

2 de plus en plus de

3 plus de

Activité 16

Check your answers on the CD and in the transcript.

Activité 17

1 Autour de Strasbourg on a construit **plus de centres commerciaux.**

2 Avant il y avait **moins de transports en commun qu'aujourd'hui.**

3 Le centre-ville est toujours **aussi agréable.**

4 Avec le nouveau tramway on **circule moins** aujourd'hui en voiture.

5 Les petites rues sont **moins polluées qu'avant.**

6 On trouve, bien sûr, **autant de touristes** à Strasbourg.

Check that you made the adjectives agree with the nouns and that you included *de* before the noun where necessary.

Activité 18

1 Charlotte (although she still has a *faible* for chocolate!)

2

	Autant	Plus	Moins	De plus en plus	De moins en moins
Café	✔				
Sucre			✔		
Eau minérale				✔	
Produits allégés		✔			
Produits au beurre	✔				
Exercice		✔			
Produits frais					
Tartes aux fraises				✔	
Gâteaux au chocolat					✔

* Although Alain answers *oui* to Charlotte's hope that he eats *plus de produits frais*, this is not a serious answer since his 'fresh produce' consists of pastries!

3   Je bois **de moins en moins de** café. Je mange **de plus en plus de** produits frais.

Activité 19

- Elle est **de plus en plus** enthousiaste.
- Elle écrit **de moins en moins de** lettres.
- Elle achète **de plus en plus** par Internet.
- Elle fait **de moins en moins d'**exercice.

Like *plus* and *moins*, *de plus en plus* and *de moins en moins* are followed by *de* when they are followed by a noun.

Activité 20

1 (a), 2 (b), 3 (a)

The title of the article is based on Proust's famous novel *À la recherche du temps perdu*, 'In Search of Lost Time'.

Activité 21

Answers will vary according to personal circumstances, but here is a sample answer:

> À Villeneuve il y a de plus en plus de problèmes de circulation et de moins en moins de parkings. Malheureusement, il y a moins de transports en commun qu'autrefois.

> Avant, les vielles petites rues étaient moins polluées. On trouvait plus de petits commerces et d'espaces verts*. Aujourd'hui, parce qu'il y a plus de grands magasins et de restaurants au centre-ville, on voit autant de papiers dans les rues.

> À l'extérieur de la ville, il y a la cité étudiante. Depuis une vingtaine d'années, on trouve de plus en plus de jeunes à Villeneuve.

*Note that *de* is repeated before each noun or group of nouns.

Activité 22

1   He much prefers the past.

2   (a) franchement
    (b) longuement
    (c) évidemment
    (d) fréquemment
    (e) lentement
    (f) vite, rapidement

3   Most French adverbs end in '-ment', just as most of the English adverbs end in '-ly'.

Activité 23

1   Charlotte thinks that the present is better because in the past people were expected to work long hours, there was little opportunity for entertainment or holidays, few people owned cars and communication was slower.

2   (c), (a), (d), (b), (f), (e)

Activité 24

1   *personnellement*   personally
    certainement   certainly
    vraiment   really, truly
    généralement   generally
    difficilement   with difficulty
    rarement   rarely, seldom
    lentement   slowly
    régulièrement   regularly
    précisément   precisely
    immédiatement   immediately
    complètement   completely

2   *évidemment*   (feminine adjective: *évidente*)
    fréquemment   (feminine adjective: *fréquente*)
    précisément   (feminine adjective: *précise*)

3   (a) personnellement
    (b) indistinctement
    (c) franchement
    (d) régulièrement

    (e) immédiatement
    (f) rarement
    (g) complètement

Activité 25

1   (a) plus régulièrement (b) moins souvent

2   (a) plus fréquemment (b) mieux

3   (a) aussi vite (b) moins rapidement

4   (a) plus facilement (b) mieux

Activité 26

Check your answers on the CD and in the transcript.

Activité 27

1   (a) **Heureusement** de nos jours, on voyage **de plus en plus rapidement**
/   **vite**. Les voitures sont **plus confortables** et **plus puissantes**.

    (b) **Certainement**, au bon vieux temps on mangeait **mieux: plus de produits frais**.

    (c) Mais autrefois les gens sortaient **moins régulièrement**. Il y avait **moins de restaurants**.

    (d) **Personnellement** je contacte ma famille **de moins en moins fréquemment** maintenant. **J'écris moins** dans mes courriels.

    (e) **Franchement**, c'était très agréable de recevoir des lettres **plus souvent**.

Check that you included *de* before the nouns in sentences (b) and (c).

2   Your answer will reflect your personal opinions, but you may have recorded something like this.

    D'accord, on voyage plus rapidement maintenant mais les villes sont de plus en plus polluées. Personnellement, je préférais prendre mon vélo. Au contraire, autrefois la variété des produits était moins grande qu'aujourd'hui. Il y avait moins de fruits et de légumes exotiques dans les supermarchés. Chez nous on mangeait de la soupe au chou tous les jours.

Check that you included examples of *aussi, autant (de), plus (de)* and *moins (de)* to make comparisons and the imperfect tense to describe how things used to be.

Activité 28

Here is a sample answer for you to compare with what you have written:

> Autrefois Alain avait un appartement au troisième étage. La petite chambre était carrée, l'autre – plus grande – avait une forme rectangulaire. Il y avait une petite cuisine et, à côté, la salle d'eau. La porte-fenêtre du salon donnait sur le parc. Malheureusement, toutes les pièces étaient sombres. À l'époque la climatisation n'existait pas.
>
> Par contre, chez Alain maintenant, on trouve partout des couleurs claires. C'est une maison traditionnelle mais beaucoup moins sombre que l'appartement parce que les fenêtres sont plus larges. La cuisine est plus grande.

Note how *par contre* and *mais* can be used to link contrasting ideas, such as darkness and light.

Activité 29

1 (b) They were asked *Qu'est-ce que vous faites maintenant, **grâce à votre ordinateur**, que vous ne faisiez pas avant?* (What do you do now, **thanks to your computer**, that you didn't do before?)

2 (a) Pascal

   (b) Jean-Claude

   (c) Maryse

   (d) Maryse

   (e) Jean-Claude

   (f) Jean-Claude

   (g) Pascal

   (h) Jean-Claude

   (i) Jean-Claude

   (j) Maryse

3 (a) des sites étrangers

   (b) manuscrite

   (c) se connecter sur

4 Some possible answers are:

> Aujourd'hui Jean-Claude envoie des courriels à ses amis.
> Autrefois il les contactait par téléphone / il avait des contacts téléphoniques.
>
> Aujourd'hui Pascal peut consulter directement par Internet sa banque.
> Autrefois il envoyait une lettre manuscrite.
>
> Aujourd'hui Maryse peut envoyer des courriers électroniques à sa famille.
> Autrefois elle envoyait des courriers par la poste.

Activité 30

1 These are phrases which describe ways of communicating:

   – j'envoie des emails et j'en reçois

   – je contacte des amis

   – les contacts étaient téléphoniques

   – je peux immédiatement me connecter sur le site

   – je peux consulter directement par Internet le site

- j'étais obligé d'écrire
- envoyer une lettre manuscrite
- je peux envoyer des courriers électroniques
- je devais envoyer des courriers par la poste

2 Here are two sample answers using some of the phrases identified in step 1.

Family and friends

Autrefois j'envoyais une lettre toutes les semaines à Maman. Maintenant nous avons des contacts téléphoniques. J'envoie de moins en moins de lettres manuscrites.

Avant j'envoyais des cartes postales à mes amis quand j'étais en vacances.

Aujourd'hui de plus en plus de mes amis ont un portable. J'envoie beaucoup de textos et j'en reçois.

J'envoie de temps en temps des courriers électroniques à mes amis. Malheureusement, Maman n'a pas d'ordinateur.

Business

Avant j'allais à ma banque le vendredi. Je devais envoyer quelquefois des courriers par la poste. Aujourd'hui je peux me connecter sur le site de ma banque pour faire toutes mes transactions. C'est très pratique. Je vais en ville moins souvent parce que j'achète mes provisions par Internet.

Activité 31

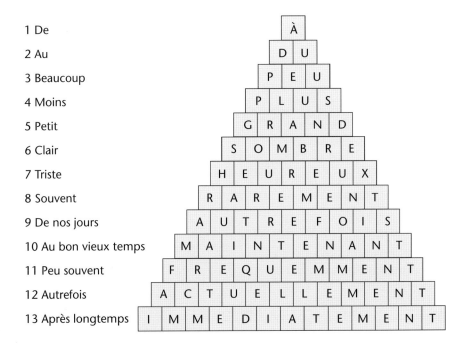

1 De — À

2 Au — DU

3 Beaucoup — PEU

4 Moins — PLUS

5 Petit — GRAND

6 Clair — SOMBRE

7 Triste — HEUREUX

8 Souvent — RAREMENT

9 De nos jours — AUTREFOIS

10 Au bon vieux temps — MAINTENANT

11 Peu souvent — FREQUEMMENT

12 Autrefois — ACTUELLEMENT

13 Après longtemps — IMMEDIATEMENT

Activité 32

Here are some sample answers. You may have found other combinations.

- Dans ces deux villes il n'y avait pas autant de grandes surfaces qu'aujourd'hui.
- À La Rochelle il y avait moins de voitures que maintenant.
- À La Rochelle il n'y avait pas autant d'immeubles que maintenant.
- À La Rochelle il y a plus de problèmes de circulation qu'autrefois.
- À La Rochelle il y avait moins de jeunes que maintenant.
- À Grenoble il n'y a pas autant d'espaces verts qu'avant.
- Dans ces deux villes il y avait moins de pollution que maintenant.
- À Grenoble il y a plus de transports en commun qu'avant.

We can assume there is now more public transport in Grenoble because a tramway has been installed, *pour éviter aux gens de prendre leur voiture.*

Activité 33

1   The Swedes, who consume nearly 10 kg of sweets per year on average.

2   (a) En ce qui concerne les bonbons, les Portugais **sont aussi raisonnables que** les Japonais.

    (b) Les Suédois **consomment plus de bonbons que** les Japonais.

    (c) Les Français **mangent autant de bonbons que** les Françaises.

    (d) Les Français **consomment plus de bonbons que** les Japonais, mais **moins que** les Suédois.

Activité 34

1   Joël travaille **de plus en plus** à l'extérieur.

2   Il est **de moins en moins** stressé.

3   Joël se promène **de plus en plus loin** à vélo.

4   Il voit **de moins en moins** souvent ses amis.

5   Joël dort **de mieux en mieux**.

6   Il sort **de moins en moins** le soir.

7   Mais il mange **de mieux en mieux**.

Activité 35

1   (a) j'apprenais   (g) j'appréciais
    (b) je parle   (h) je sais
    (c) j'étais   (i) je m'ennuyais
    (d) je détestais   (j) je ne voulais pas
    (e) je trouvais   (k) j'avais
    (f) je comprenais   (l) j'adorais

Maintenant and *actuellement* were clues that verbs (b) and (h) should be in the present tense.

Activité 36

2   (a) ... *le pull n'était pas la bonne taille.*   not the right size.

    (b) *J'ai passé une commande il y a quinze jours... je n'ai rien reçu.*   I placed an order a fortnight ago... I haven't received anything.

    (c) ... *la cafetière était endommagée.* ... the cafetière was damaged.

    (d) *Le pantalon n'était pas le modèle commandé...*   The trousers were not the ones I ordered.

    (e) *Un des bols était cassé...*   One of the bowls was broken...

3   (a) J'ai commandé récemment des articles.

    (b) Pourriez-vous remplacer ces articles...?

    (c) J'ai dû renvoyer deux vêtements.

    (d) Je vous ai envoyé deux courriels.

    (e) Vous ne m'avez même pas répondu.

    (f) Pourriez-vous me rembourser...?

    (g) J'ai passé une commande par Internet.

(h) Jusqu'ici.

(i) Annuler la commande.

4 (a) C'est vraiment inacceptable. (*This is really / totally unacceptable.*)

(b) Je suis très déçue. (*I am very disappointed.*)

(c) ... je ne suis pas du tous satisfaite de votre service. (... *I am not at all satisfied with your service.*)

Activité 37

1/2 We have suggested in brackets suitable points at which to insert phrases of dissatisfaction.

> J'ai **passé** une commande **par** Internet **il y a** quinze jours. J'ai dû **renvoyer** des articles parce que le livre était **endommagé** et la radio n'était pas le **modèle** commandé. Je vous ai **envoyé** deux courriels mais, jusqu'**ici** vous ne **m'avez même pas** répondu. (**C'est vraiment inacceptable.**) Pourriez-vous **remplacer** ces **articles**, s'il vous plaît? Si je ne reçois pas des articles de remplacement **avant** mardi prochain, je vais **annuler** la commande. (**Je dois vous dire que je ne suis pas du tout satisfait(e) de votre service.**)

Activité 38

1 No. Biblionet has run out of copies of the book she ordered.

2 (g), (d), (e), (f), (i)

3 (a) (ii), (b) (i)

4 Charlotte says **Ça fait** trois semaines **que** j'attends mon livre. She might equally well have said *J'attends mon livre **depuis** trois semaines*.

Activité 39

1 **Ça fait une dizaine de jours que** j'attends le paquet.

2 **Ça fait un quart d'heure qu'**on fait la queue à la caisse.

3 **Ça fait une semaine que** tu mets cette crème...

4 **Ça fait dix minutes que** je patiente...

5 **Ça fait cinq minutes que** nous cherchons dans ce document...

Activité 40

Check your answers on the CD and in the transcript.

Activité 41

1 She had to contact the company within 22 days to ask for a replacement or refund, stating clearly why she wanted to return the goods, on the exchange slip (*bon d'échange*) on the back of the delivery note (*au dos du bon de livraison*).

2 The punctuality of the train service or compensation in the case of substantial delays for which the SNCF is responsible.

3 Yes, for a third (*un tiers*) of the cost of the ticket (21 €).

Activité 42

1/2 Check your answers on the CD and in the transcript.

Activité 43

1 He wanted to become a painter (*peintre*).

2 (a) 'Pourquoi un chapeau ferait-il peur?'

(b) Ça représentait un serpent boa qui avalait un fauve.

(c) Il représentait un serpent boa qui digérait un éléphant.

3 (a) avalait un fauve

(b) 'Histoires vécues'

(c) m'ont conseillé d'oublier

(d) J'ai montré mon chef-d'œuvre

4 (a) lorsque

   (b) ensuite (*then*) or alors (*next/then*)

   (c) c'est ainsi que (*so it was that*) or donc (*so/therefore*)

5 (a) These are the examples of the *passé composé* in the texts:

   j'ai vu, j'ai réfléchi, j'ai réussi, j'ai montré, j'(e) (leur) ai demandé, elles (m')ont répondu, j'ai dessiné, les grandes personnes (m')ont conseillé, j'ai abandonné, j'ai dû, j'ai appris

   (b) (ii) They tell you what happened next. The *passé composé* is often used to recount the key events of a story. The imperfect tense serves to complete the background to these events, such as what was going at the time (*lorsque j'avais six ans*) or what the author was thinking.

6 voir, réfléchir, réussir, montrer, demander, répondre, dessiner, conseiller, abandonner, devoir, apprendre

7 Because you were describing the author and what he used to do, your text should be in the imperfect tense.

   Enfant, l'auteur était assez indépendant, avec des idées originales. Il avait beaucoup d'imagination et le sens de l'aventure. Antoine dessinait déjà bien. À l'époque il voulait devenir peintre. Il aimait regarder les images dans un livre sur les animaux de la jungle.

Activité 44

1 (a) to become a trapeze artist

   (b) a nurse

2 (a) (i), (iv), (v), (vii)

   (b) (iii)

Activité 45

2 She said they were looking at her album of old photographs. She used the imperfect tense because they were still doing this when Alain arrived – it was the situation at the time.

Activité 46

1 (a) Faux. (Il est né il y a une **centaine** d'années.)

   (b) Vrai.

   (c) Faux. (Il a fait son dernier vol dans les années **quarante**.)
       disparu en mission means that he did not return from a flight.

   (d) Vrai.

   (e) Faux. (Il a écrit *Vol de nuit* au début des années **trente**.)

2 Check your answers on the CD and in the transcript.

Activité 47

1 She was asked whether her parents used to read fairy stories to her when she was little. (*Quand vous étiez petite, est-ce que vos parents vous lisaient des contes?*)

1

Activité 45

Alain a eu des problèmes avec la voiture,	(a) voilà pourquoi	(i) il est venu à vélo.
Charlotte souffrait de vertige,	(b) c'est pour ça qu'	(ii) elle a refusé de traverser le pont.
Charlotte a dû abandonner sa première carrière,	(b) c'est ainsi qu'	(i) elle est devenue infirmière.

2

	Maryse	Ses parents	Ses filles
Qui lisai(en)t des contes?	✔		
Qui écoutai(en)t des contes?			✔
Qui apprenai(en)t des fables à l'école?	✔		

3   (a), (b), (c), (f)

4   (a)   As you will read in G27, it means
         'Which (ones)'? *Lesquels* refers to
         contes, which is masculine plural.

     (b)   The form for a feminine plural word
          (such as *histoires*) is *lesquelles*.

Activité 48

1   (a)   lequel

     (b)   lesquelles

     (c)   lesquels

     (d)   lesquelles

     (e)   laquelle

2   Check your answers on the CD and in the
     transcript.

Activité 49

Here is a sample answer, using some of the
phrases you met earlier in this session.

> Quand j'étais petit(e) ma sœur me
> lisait des histoires le week-end, après
> le dîner. J'adorais les contes. Je n'avais
> pas peur comme ma petite sœur!
> Nous lisions dans ma chambre ou sur
> la terrasse en été. Maman savait
> réciter par cœur plusieurs fables. Mon
> frère préférait les histoires drôles ou
> les romans. Il les lisait très tard le soir.
> Tous les matins mon père achetait un
> journal – je ne sais plus lequel.

Activité 50

1   (b)

2   Question 1 – imperfect; question 2 –
     imperfect; question 3 – *passé composé*;

question 4 – *passé composé*; question 5 –
imperfect; question 6 – present

3   (a), (f), (d), (e), (c), (b)

4   (a)   je relis...

     (b)   il a disparu

     (c)   un homme ... qui avait surtout le
          goût du risque

     (d)   je ne l'ai jamais rencontré

     (e)   j'estimais..., j'admirais

     (f)   il se passionnait pour...

     (g)   il a gagné

5   We think that the following sentences
     answer the questions most directly, but
     others are possible:

     (a)   J'estimais beaucoup le grand
          navigateur – Éric Tabarly.

     (b)   Il m'inspire toujours.

     (c)   Il descendait en héros les Champs-
          Élysées.

     (d)   En 1976 il a gagné pour la deuxième
          fois la course transatlantique en
          solitaire entre Plymouth et Newport.

     (e)   Je ne l'ai jamais rencontré, non, mais
          je suis allé le voir une fois, avec mon
          père à Paris.

     (f)   C'était un homme très courageux,
          innovateur, mais modeste qui avait
          surtout le goût du risque.

6   Compare your answers with Alain's
     written responses in step 3.

Activité 51

Here is one way of constructing the answer:

(a) Quand j'avais 20 ans, j'admirais beaucoup la grande chanteuse, Barbara.

(b) Elle avait une voix douce qui touchait son public. Elle était très sensible, peut-être un peu mystérieuse comme elle portait toujours le noir. Barbara écrivait beaucoup de ses propres chansons.

(c) Elle a travaillé pendant toute l'année 1989 pour les malades atteints du SIDA. Puis, en 1997 elle a remporté la Victoire de la musique comme interprète féminine de l'année. Malheureusement, elle a disparu / elle est morte / elle est décédée un peu plus tard, au mois de novembre 1997.

(d) Je suis allée la voir une fois à un concert à Bordeaux. Je l'ai rencontrée après, au foyer des artistes.

(e) Elle parlait avec des spectateurs et elle donnait des interviews aux journalistes. Elle signait des programmes.

(f) Elle reste ma chanteuse préférée. J'écoute très souvent ses disques.

Activité 52

1 She is surprised that Pierre-Jules Boulanger, not André Citroën, had the idea for the 2CV. (The factory no longer belonged to Citroën by then, but to the Michelin tyre company, who had been one of his creditors. His debts forced him to give away the factory.)

2 The images should be followed clockwise.

3 (a) a construit

(b) ont connu

(c) (i) dépensait (ii) accumulait

(d) a dû

(e) a conçu

(f) est née

(g) est resté

(h) a fait

(i) (i) était (ii) se sont moqués (iii) a aimée

(j) a fabriqué

Although the actions referred to in questions (g) and (j) lasted a period of years, they are regarded as having taken place within definite time limits. The *passé composé* is therefore used.

Question (i) was particularly tricky. If you remembered to write an extra 's' at the end of *se sont moqués*, well done! This is a reflexive verb taking *être* in the *passé composé* so the past participle needs to agree with *les journalistes*. The past participle *aimée* ends in '-e' because the preceding pronoun *l'* refers to *la 2CV*.

Activité 53

Check your answer by comparing your recording with the transcript of Extract 43.

Activité 54

1 (b)

2 (a) In the 1960s the 2CV featured in a series of French film comedies.

(b) Citroën launched the 2CV 007 in 1981, when *For Your Eyes Only* hit the cinemas.

(c) It was yellow and had mock bullet holes.

Activité 55

Here is an answer for you to compare with your own work.

En 1948, quand j'avais huit ans, je suis allé avec mon père, ma sœur et mon oncle Rémy au Salon de l'Automobile. À l'époque nous habitions à Paris. Voilà pourquoi on pouvait visiter facilement les grandes expositions.

Comme il faisait beau nous n'avons pas pris le métro.

D'abord, nous sommes allés voir le nouveau modèle Citroën. C'était une petite voiture grise. Elle avait le toit et les sièges en toile. Mon oncle pensait qu'elle était très laide et ma sœur s'est moquée d'elle. Moi, par contre, je l'ai aimée tout de suite.

Mon père a vu de loin un personnage célèbre – un acteur, je crois – qui regardait une grande voiture. Je ne sais plus laquelle. Ensuite, j'ai remarqué monsieur Boulanger. Il parlait aux journalistes. Un groupe d'agriculteurs écoutaient et posaient des questions.

Finalement nous sommes rentrés vers 21 h. J'étais très fatigué.

C'est ainsi que nous avons commandé en 1950 notre première 2CV.

Activité 56

1 Yes, because it is within the 28 day limit and you have not opened it (*non descellé* – still sealed, unopened).

2 You must complete part B of the delivery note which was sent in the original parcel, explaining the reason for returning the goods (*le motif du retour*).

Activité 57

1 **Partie B**

Commande: 06 Numéro de client: 8L50		Date: 26 septembre	
Référence	Description	Motif du retour *	Échange ou remboursement (Voir partie C)
06F	pantalon vert	ne me convient pas	remboursement
2408K	bol en verre	endommagé pendant le transport	échange
269X	petite radio noire	défectueuse	échange
17M	sac en cuir	pas le modèle commandé	échange

2 Here is a model answer for you to compare with what you said. We have re-used many of the phrases you met in Session 6.

Allô, je m'appelle Pascal(e) Gauthier. Mon numéro de client est 8L50. J'ai renvoyé trois articles, le 26 septembre. Le bol était endommagé, la radio était défectueuse et le sac en cuir n'était pas le modèle commandé. J'ai demandé des échanges. Ça fait trois semaines que j'attends. Vous n'avez pas répondu. C'est vraiment inacceptable. Je voudrais donc annuler la commande. Pourriez-vous me rembourser tout de suite s'il vous plaît. Je dois vous dire que je ne suis pas du tout satisfait(e) de votre service.

Activité 58

1 (a) Laquelle
   (b) Lesquels

2 (a) Lyon
   (b) écrivain (auteur) / pilote (aviateur)

3 (a) Lequel (iii)
   (b) Lesquels (ii) + (iii)
   (c) Lesquelles (i) + (ii)

Activité 59

1 You should have ticked:

1 bureau

2 station-service

3 pharmacie

4 dans la rue

2 **Première femme:** plus de cinq minutes

Premier homme: des heures (*hours! – an exaggeration, no doubt*) (*We hope you did not confuse this with* deux heures.)

Deuxième femme: quinze jours (*a fortnight*)

Deuxième homme: un quart d'heure

3 (a) Ça fait plus de cinq minutes que je patiente.

(b) On fait la queue ici depuis des heures.

(c) Je mets cette crème depuis quinze jours.

(d) Ça fait un quart d'heure que je cherche la Banque de Provence.

Activité 60

1 a annoncé

2 est morte

3 est née

4 n'existait pas

5 communiquait

6 sont arrivées

7 aimait

8 achetait

9 était

10 sentait

11 buvait

12 fumait

13 a appris

14 a enregistré

15 n'a pas laissé

Check that you made agreements where necessary to the past participles of verbs

taking *être* in the *passé composé: ces deux dernières inventions* **sont arrivées**. Check also that you placed *ne* and *pas* around *avoir* or *être* in the *passé composé: Jeanne* **n'a pas** *laissé*....

Activité 61

We have written an updated version of a fairy story. Your own work may have some of the same elements. Check in particular your use of the *passé composé* and the imperfect tense. We have emboldened some of the phrases you can use to express a consequence.

Cendrillon est née à Avignon il y a une vingtaine d'années. Son père était acteur et sa mère une belle chanteuse anglaise. **C'est pour ça que** Cendrillon chantait si bien et parlait couramment anglais. Avec son petit visage en forme de cœur, elle était adorable. Malheureusement sa maman est morte quand Cendrillon avait dix ans.

Comme la nouvelle femme de son papa était paresseuse, Cendrillon devait travailler très dur à la maison. **Voilà pourquoi** elle a quitté le collège très jeune, sans diplômes.

Le matin de son dix-huitième anniversaire Cendrillon était triste. Alors soudain elle a remarqué une grande enveloppe à côté de son lit. Elle l'a ouverte et elle a lu ce message:

Chère Cendrillon,

Tu vas rencontrer bientôt un prince charmant et beaucoup d'autres gens importants. Tu dois reprendre tes études immédiatement. Voici une brochure des cours de l'Open University.

Joyeux anniversaire!

Bises,

Ta bonne fée

Transcriptions

This is the audio CD 5 of the Open University French course, *Bon départ*.

UNIT 9

Extrait 1

Christine   (......) au théâtre?

Lucas   Oh, tu sais, il n'y a rien pour le moment au théâtre. Mais si on allait au cinéma? Il y a de bons films cette semaine.

Christine   D'accord. Qu'est-ce qu'il y a?

Lucas   Je sais qu'au Rex il y a *Jeanne d'Arc*, le film de Luc Besson.

Christine   Ah non, j'ai déjà vu ce film-là, et je n'ai pas aimé les acteurs.

Lucas   Ah bon! Alors, il y a *Star Wars* au Renoir.

Christine   Non merci! J'ai horreur des films américains.

Lucas   Bon. Ben, au Lux il y a *Bienvenue au gîte*. C'est une comédie tournée en Provence.

Christine   Ah, d'accord – je préfère voir un film comme ça. C'est à quelle heure?

Lucas   Attends – alors, euh, c'est tous les jours à... dix-neuf heures trente. Ça va?

Christine   Oui – et nous pourrions aller au restaurant après.

Lucas   Peut-être – je vais demander à Sylviane. Mais avant le film, on pourrait prendre un pot ensemble.

Christine   D'accord. Je vous retrouve devant le cinéma à sept heures.

Lucas   À ce soir.

Extrait 2

Parlez dans les pauses.

> #### Exemple
> (faire une promenade samedi)

Vous   Si on faisait une promenade samedi?

(aller au théâtre ce soir)

Vous   Si on allait au théâtre ce soir?

(jouer au tennis demain après-midi)

Vous   Si on jouait au tennis demain après-midi?

(visiter le musée Calvet ce matin)

Vous   Si on visitait le musée Calvet ce matin?

(se baigner tout de suite)

Vous   Si on se baignait tout de suite?

Extrait 3

Christine   Alors, qu'est-ce que tu as pensé du film? C'était bien, non?

Sylviane   Oh, je l'ai beaucoup aimé. Je trouve que c'est un très beau film, simple mais intéressant.

Lucas   À vrai dire, moi, je ne l'ai pas aimé. Je l'ai trouvé ennuyeux.

Christine   Oh non, Lucas, je ne suis pas d'accord. Les acteurs, ils étaient vraiment naturels et sympathiques. Et surtout la femme.

Sylviane   Ah oui, c'est vrai, elle joue très bien. Et puis, l'histoire, c'était génial. Cette idée de tout abandonner pour vivre à la campagne, c'est typique de notre génération. Je l'ai beaucoup appréciée. Qu'est-ce que tu penses, Christine?

Christine   Oui, oui – c'est un peu mon rêve aussi, tu sais. Je voudrais bien faire ça un jour.

Lucas   Oui, mais ce n'est pas tellement authentique. Et puis il y a cette musique. Elle était exécrable – lugubre, désagréable quoi.

Christine   Oh Lucas, que tu es difficile! Je l'ai trouvée très douce et elle a créé une superbe atmosphère.

Sylviane   Et puis il y avait la photographie – tu l'as trouvée belle, non?

Lucas   Non, je te dis, c'était très ennuyeux. Moi, non, je n'ai rien aimé du tout dans ce film.

Extrait 4

Répondez aux questions.

Question   Tu as coupé le pain?

(Oui...)

Vous   Oui, je l'ai coupé.

Question   Tu as fait la vaisselle?

(Oui...)

Vous   Oui, je l'ai faite.

Question   Tu as mis la bouteille?

(Non...)

Vous   Non, je ne l'ai pas mise.

Question   Tu as pris les assiettes?

(Oui...)

Vous   Oui, je les ai prises.

Question   Tu as préparé les oignons?

(Non...)

Vous   Non, je ne les ai pas préparés.

Extrait 5

Sylviane   Et si on regardait la télévision ce soir? Il y a de bonnes émissions, tu sais.

Lucas   Euh... vraiment? On ne pourrait pas discuter...

Sylviane   Non, Lucas, j'ai envie de regarder un bon film.

Lucas   On pourrait toujours regarder le foot sur TF1 à huit heures et demie. C'est Lyon contre Nice...

Sylviane   Ah non! Surtout pas ça. Il y a un très bon film sur Arte – c'est sur la Bretagne. Et avant ça, nous pourrions regarder, euh..., le journal télévisé, sur France 2 à huit heures, n'est-ce pas?

Lucas   Autrement, il y a le magazine scientifique sur M6, *E = M6*. C'est toujours passionnant comme émission. Je pense qu'il y a un reportage sur les petits Français obèses ce soir!

Sylviane   Bon, alors après le film, je peux regarder les informations – Soir 3, à dix heures quarante?

Lucas   Oui, oui, d'accord. Mais tu ne veux pas regarder le documentaire sur les femmes? Et après il y a une discussion sur les femmes, *J'ai décidé d'être belle*...

Extrait 6

Écoutez.

télévision	émission
information	révision
profession	prévision
provision	prononciation
discussion	division
décision	mission

Extrait 7

Question   Qu'est-ce que vous pensez du foot à la télé?

Jean-Claude

Jean-Claude   J'aime beaucoup le football, mais je pense qu'il y a trop de football à la télévision et je suis un peu saturé de ce sport.

Agnès

Agnès   J'ai beaucoup aimé la Coupe du monde en 98. Je l'ai beaucoup moins aimée cette année.

Question   Les séries américaines à la télé, qu'est-ce que vous en pensez?

Philippe

Philippe Je n'aime pas du tout. Je ne les regarde jamais. C'est pas très naturel.

Agnès

Agnès Je regarde régulièrement des séries pour me détendre. Je pense que ce n'est pas très instructif, mais ça détend.

Question Vous regardez beaucoup de documentaires?

Jean-Claude

Jean-Claude Oui, assez souvent.

Question Pourquoi?

Jean-Claude Parce qu'ils concernent souvent d'autres pays, d'autres cultures et donc, ils sont intéressants.

Philippe

Philippe Oui, j'aime bien les documentaires, historiques surtout.

Question Donnez-moi un exemple.

Philippe Je regarde les documentaires sur Arte.

Question Euh, pourquoi vous aimez les documentaires sur Arte?

Philippe Parce que je trouve qu'ils sont intelligents, ils sont bien faits.

Question Est-ce que vous regardez les infos à la télé?

Agnès

Agnès J'essaye de regarder les informations quand les enfants me le permettent.

Question Sur quelle chaîne?

Agnès Je regarde les informations sur la première chaîne.

Question Pourquoi la première?

Agnès Parce que je préfère le présentateur.

Question Et c'est à quelle heure?

Agnès Les informations sont à treize heures.

Question Est-ce que vous regardez les infos à la télé?

Maryse

Maryse Oui, tous les soirs.

Question Sur quelle chaîne?

Maryse Sur France 2.

Question Pourquoi France 2?

Maryse Parce que c'est une chaîne publique de bonne qualité.

Question Et vous regardez les infos à quelle heure?

Maryse Je regarde les infos en général à vingt heures ou treize heures le midi.

Extrait 8

L'animateur Alors, Nassera, vous avez déjà gagné la valise en cuir pour partir en vacances. Et vous Bernard, vous avez gagné le superbe caméscope. Mais maintenant, qui va gagner le voyage? Alors, comment vous vous sentez? Vous êtes nerveux?

Nassera Oh moi, je suis très nerveuse. J'ai vraiment le trac!

L'animateur Et vous, Bernard, vous avez le trac?

Bernard Moi, non, ça va très bien.

L'animateur Alors attention! Vous voyez les quatre fenêtres devant vous? Eh bien, il faut choisir la bonne. Le voyage de vos rêves, c'est en Guadeloupe. Vous êtes déjà allé en Guadeloupe?

Bernard Oh moi, j'y vais souvent – ma tante y habite.

L'animateur Et vous, Nassera?

Nassera Moi, je n'y suis jamais allée. Mais j'en rêve depuis très longtemps.

L'animateur Bien, maintenant une pause de publicité.

Extrait 9

Pascal

Question Quel est votre programme de télévision préféré?

Pascal Un jeu télévisé qui s'appelle *Burger Quiz*.

Question *Burger Quiz*? On gagne des hamburgers?

Pascal Non, on gagne une voiture, une PT Cruiser.

Question Aha. En mangeant des hamburgers?

Pascal En répondant à des questions farfelues.

Question Et pourquoi '*Burger Quiz*'?

Pascal Je ne sais pas.

Question Quel programme est-ce que vous n'aimez pas du tout à la télévision?

Pascal Je n'aime pas du tout les '*reality shows*'.

Élisabeth

Question Quel est votre programme de télévision préféré?

Élisabeth *Questions pour un champion*.

Question Pourquoi?

Élisabeth Parce que c'est un programme intelligent.

Pierre

Question Quel est votre programme de télévision préféré?

Pierre Je n'aime pas la télévision. Et je n'ai pas la télévision.

Question Pourquoi?

Pierre Je ne supporte pas les jeux à la télévision que je trouve dégradants et je ne veux pas contribuer à cela.

Lionel

Question Quel programme est-ce que tu n'aimes pas du tout à la télévision?

Lionel Alors, je déteste les jeux qui passent entre... à l'heure du repas de midi.

Question Euh, pourquoi? Donne-moi tes raisons.

Lionel Parce que c'est des jeux qui sont de tendance débile et abrutissante.

Extrait 10

Question Et vous regardez souvent les jeux télévisés?

La femme Non, je ne les regarde jamais. J'ai horreur de ça.

L'homme Mais moi, je les regarde souvent – ça dépend du jeu. J'adore par exemple *Le voyage de vos rêves*. C'est passionnant, je trouve. Mais je préfère les jeux intelligents comme *Questions pour un champion*.

Question Madame, pourquoi vous n'aimez pas les jeux?

La femme Eh bien, parce que ça ne m'intéresse pas. Je trouve les jeux stupides, et trop commercialisés.

L'homme Je ne suis pas d'accord avec toi. *Questions pour un champion*, c'est très instructif – on apprend beaucoup de choses.

La femme Oui, mais les jeux comme ça, personnellement, ça ne me passionne pas.

Question Alors vous n'avez pas envie de participer aux jeux?

La femme Pas du tout! Ça ne me dit rien! Et je trouve ça nul! Je préfère regarder les documentaires – ça, c'est la télévision intelligente.

L'homme Oui, mais la télévision existe aussi pour amuser, pour détendre. Et moi, les jeux – je trouve ça bien. C'est amusant, c'est divertissant, et on peut toujours rêver!

Question Et les candidats, qu'est-ce que vous en pensez?

La femme Je trouve qu'ils sont toujours un peu bêtes, un peu excités, mais ils sont comme vous et moi, des gens ordinaires.

L'homme Et ils méritent de gagner. C'est ça qui m'intéresse.

Extrait 11

Parlez dans les pauses.

Question Quel est votre programme de télévision préféré?

(*Say you prefer documentaries.*)

Vous Je préfère les documentaires.

(*Say you watch them at least once a week.*)

Vous Je les regarde au moins une fois par semaine.

Question Et l'émission Thalassa, qu'est-ce que vous en pensez?

(*Say you find it very interesting – you like it a lot.*)

Vous Je trouve que c'est très intéressant. Je l'aime beaucoup.

(*Say it's an intelligent programme.*)

Vous C'est une émission intelligente.

Question Et quels programmes est-ce que vous n'aimez pas?

(*Say you never watch game shows.*)

Vous Je ne regarde jamais les jeux télévisés.

Question Même pas le jeu *Qui veut gagner des millions*??

(*Say you're not interested in it – you find it very boring.*)

Vous Ça ne m'intéresse pas. Ça m'ennuie beaucoup.

Question Et qu'est-ce que vous avez regardé à la télévision hier soir?

(*Say you didn't watch TV.*)

Vous Je n'ai pas regardé la télévision.

Question Pourquoi pas?

(*Say you went to the cinema with your friends.*)

Vous Je suis allé(e) au cinéma avec mes amis.

(*Say you saw a very good film,* L'auberge espagnole.*)*

Vous J'ai vu un très bon film – *L'auberge espagnole.*

Question Et ça parle de quoi?

(*Say it's about a young French student.*)

Vous Ça parle d'un jeune étudiant français.

(*Say he goes to Spain for a year to study at a Spanish university.*)

Vous Il va en Espagne pour un an étudier dans une université espagnole.

(*Say that he meets a group of foreign students there.*)

Vous Il y rencontre un groupe d'étudiants étrangers.

Question Pourquoi est-ce que vous avez aimé ce film?

(*Say it's a funny and intelligent film.*)

Vous C'est un film amusant et intelligent.

Extrait 12

Christine Bonjour, je voudrais louer une voiture pour un jour ou deux...

L'agent Oui, bien sûr... à quelle date?

Christine Disons, à partir d'aujourd'hui ou demain...

L'agent Aujourd'hui... alors, voyons s'il nous reste des véhicules disponibles... oui... bien. Et vous voulez réserver quoi, comme véhicule?

Christine J'aimerais louer une voiture confortable, disons, comme cette voiture rouge là...

L'agent   Une voiture moyenne, donc 'Catégorie B'. Voyons... il nous en reste deux pour aujourd'hui. Malheureusement, je ne peux pas vous garantir le modèle exact...

Christine   Je préférerais avoir un véhicule climatisé, si possible...

L'agent   Pas de problème... Avez-vous besoin d'équipements spéciaux, siège bébé, par exemple?

Christine   Non, euh, par contre, pourriez-vous me dire combien coûte l'assurance pour un conducteur supplémentaire?

L'agent   Alors... 'Conducteur additionnel'... le tarif est de 22 euros... Voilà... donc en tout cela va coûter 104 euros pour une location de vingt-quatre heures.

Christine   Pourriez-vous me dire si le kilométrage est illimité?

L'agent   Ah non, vous avez droit à 500 kilomètres. Chaque kilomètre supplémentaire coûte 36 centimes d'euros.

Extrait 13

L'agent   Bonjour, je peux vous renseigner?

(*Say, hello and that you would like to hire a car for a week.*)

Vous   Bonjour, je voudrais louer une voiture pour une semaine.

L'agent   Oui, quel type de véhicule? Une petite voiture ou une moyenne?

(*Say you'd prefer a small but comfortable car.*)

Vous   Je préférerais louer une petite voiture mais confortable.

L'agent   Pas de problème... Vous avez besoin d'équipements spéciaux?

(*Say no, but ask him to tell you how much the insurance for an additional driver costs.*)

Vous   Non, mais pourriez-vous me dire combien coûte l'assurance pour un conducteur supplémentaire?

L'agent   Alors... 'Conducteur additionnel'... le tarif est de 22 euros.

(*Ask him to tell you whether the mileage is unlimited.*)

Vous   Pourriez-vous me dire si le kilométrage est illimité?

L'agent   Ah non, vous n'avez droit qu'à 500 kilomètres. Après, c'est plus cher. Vous voulez réserver?

(*Say that yes, you would like to book this car.*)

Vous   Oui, je voudrais réserver cette voiture.

Extrait 14

Écoutez les quatre dialogues.

Dialogue 1

La conductrice   Pardon, monsieur l'agent, est-ce que je peux garer ma voiture ici?

L'agent   Ah non, pas ici, il est interdit de stationner dans cette rue.

La conductrice   Pourriez-vous me dire où trouver un parking?

L'agent   Il y a un parking au bout de la rue.

Dialogue 2

La conductrice   Alors, pour aller au supermarché, je tourne à droite ou à gauche?

Le passager   Oh, on ne peut pas tourner à droite, c'est un sens interdit.

La conductrice   Ah ben, oui, t'as raison...

Dialogue 3

Le conducteur   Oh là là, je me suis trompé de rue, comment je vais faire maintenant?

Le passager   Ben, fais un demi-tour sur place, il n'y a personne derrière.

Le conducteur   Je n'ai pas le droit, c'est un sens unique!

Dialogue 4

Le passager   On est très en retard, est-ce que tu pourrais accélérer un peu?

La conductrice   Ben, c'est pas permis, la vitesse est limitée à 50 kilomètres heure.

Le passager   On n'est pas encore arrivé à cette allure...

La conductrice   Ben, fallait partir à l'heure!

Extrait 15

L'automobiliste   Et voilà, ma voiture toute neuve! C'est pas possible ça... Mais enfin, vous n'avez pas vu la priorité à droite?

Christine   Écoutez, je suis désolée. Je ne vous ai pas vu.

L'automobiliste   C'est ça, oui. Ben, on regarde où on va quand on conduit.

Christine   Écoutez, ne nous énervons pas... on va pas se disputer, hein? Je le reconnais... c'est ma faute. Après tout, ce n'est pas grave, il n'y a pas de blessés.

L'automobiliste   Ben voyons... Pas grave !? Regardez l'état de ma voiture!

Christine   Écoutez, je me suis déjà excusée. Je cherchais ma route et je vous ai vu trop tard... Si on faisait un constat à l'amiable plutôt.

Extrait 16

1   Vous prenez la place d'une personne dans une queue au cinéma.

(*Apologise and say you didn't see her.*)

Vous   Excusez-moi. Je ne vous ai pas vue.

2   Vous donnez les mauvais papiers à un collègue.

(*Say that you're sorry and that it's your fault.*)

Vous   Je suis désolé(e), c'est ma faute.

3   Un arbre tombe sur la voiture d'un ami.

(*Say it's not serious, no one's hurt.*)

Vous   Ce n'est pas grave, il n'y a pas de blessés.

4   Votre voisin est en colère. Vos enfants ont pris des fruits dans son jardin.

(*Say let's not get worked up. We're not going to quarrel about it.*)

Vous   Ne nous énervons pas. On va pas se disputer.

5   Vous avez un accident de voiture.

(*Say why don't we fill out a joint accident report.*)

Vous   Si on faisait un constat à l'amiable?

Extrait 17

—   Envie de voyager? Le Club Vacances vous emmène au bout du monde!

—   Simplifiez-vous la vie: voyagez en train!

—   Pour vous déplacer en ville, préférez les transports en commun!

—   Vous déménagez? Transport Express est votre partenaire!

—   Besoin d'évasion? Avec les bus Ginko, vous partez en toute tranquillité.

Extrait 18

Aline   Bonjour, je vais à Bourg en Bresse. Est-ce que vous pourriez m'emmener?

Christine   Oui, oui, on va dans cette direction. Montez.

Aline   Ah, merci! C'est vachement sympa de votre part.

Christine   Vous êtes en vacances?

Aline   Non, là j'ai un grand week-end, alors j'en profite pour aller à Bourg chez mes parents. Après, je rentre chez moi, à Lyon.

Christine   Ils sont de Bourg, vos parents?

Aline   Non. On vient de Lyon. Mais on a déménagé. On est allés à Bourg à cause du boulot de mon père.

Christine   C'est une jolie ville, Lyon.

Aline   Ouais, c'est sympa comme ville. Je fais mes études là-bas.

Christine   Des études de quoi?

Aline Je suis en licence de psycho. Mais l'an prochain, je pars à Paris. Mon frère a un appart' là-bas.

Christine Donc vous allez habiter avec votre frère?

Aline Non, c'est bien trop petit. En fait, lui, il retourne à Bourg pour ses études de médecine. Il va travailler un an à l'hôpital de Bourg.

Extrait 19

Écoutez les trois dialogues.

Dialogue 1

– Qu'est-ce qu'on fait ce soir?

– On pourrait aller au restaurant.

– Oh oui, tiens. Quelle bonne idée. Allons au restaurant chinois!

– Allons-y!

Dialogue 2

– Qu'est-ce qu'on parle comme langue au Brésil?

– Au Brésil, on parle portugais.

– Et au Canada?

– Au Canada, on parle français et anglais.

Dialogue 3

– Est-ce qu'on a fait des bénéfices, cette année?

– Oui, monsieur, on a mieux vendu que l'an passé. On a doublé le chiffre d'affaires.

Extrait 20

Christine Je vais dans la direction d'Avignon. Ça vous intéresse?

(*Say yes, that's really kind of her.*)

Vous Oui, merci, c'est très gentil de votre part.

Christine Vous allez où au juste? À Avignon?

(*Say no, you're going back to Aix en Provence.*)

Vous Non, je retourne à Aix-en-Provence.

Christine C'est joli comme ville. Vous avez de la chance! Et vous venez d'où, comme ça?

(*Say you're travelling back from Lyon.*)

Vous Je reviens de Lyon.

Christine De Lyon, en stop? Quel courage. J'imagine que vous avez l'habitude.

(*Say yes, you've travelled a lot in Europe.*)

Vous Oui, j'ai beaucoup voyagé en Europe.

Christine En auto stop? Et vous êtes allé(e) loin comme ça?

(*Say yes, you went to Germany and Luxemburg by car...*)

Vous Oui, je suis allé(e) en Allemagne et au Luxembourg en voiture.

(*... but you came back by train.*)

Vous ... mais je suis revenu(e) en train.

Christine Vous êtes allé(e) en Belgique, aussi?

(*Say yes, you spent a month in Liège.*)

Vous Oui, j'ai passé un mois à Liège.

Extrait 21

Aline Je suis allée en Turquie avec Paul, mon ami. Là on a visité des villages magnifiques. Une fois, on s'est perdus! On roulait sur une route de campagne. Tout à coup on n'a plus vu de panneaux... Il n'y avait aucune indication, rien! La nuit commençait à tomber. On a roulé une heure, seuls au milieu de nulle part! Alors, on a décidé de retourner jusqu'au village précédent. Heureusement, on a croisé deux villageois qui passaient par là. On a arrêté la bagnole, j'ai ouvert la vitre et je leur ai demandé le chemin pour aller à Istanbul. L'un des villageois a dit quelques mots d'anglais. Paul lui a donc parlé en anglais mais ils ne le comprenaient pas bien. Alors, finalement je lui ai montré la carte routière et avec des gestes, je leur ai demandé où on était. Là, ils ont enfin compris et on a bien rigolé tous ensemble. C'était génial, j'ai pris plein de photos.

Extrait 22

Aline Allô, Sylvie, comment tu vas?... C'est vachement sympa de m'avoir appelé. ... Ah non, ce week-end je peux pas, j'ai un max de boulot, j'en ai vraiment marre. Et puis je rends visite à une copine, qui est mal fichue... euh, elle a le cafard... ben, lundi soir, oui, euh, peut-être... j'ai pas mal de trucs à faire, mais on pourrait aller bouffer ensemble... ah, non... le fast, c'est nul... la viande est vraiment infecte... Pourquoi pas le resto marocain ?... la bouffe y est vraiment super... OK? ... d'ac... alors à lundi, hein.

Extrait 23

Parlez dans les pauses.

Le collègue Salut, t'as l'air bronzée. Tu reviens de vacances?

(*Say yes, you went to North Africa. You spent two weeks in Morocco.*)

Vous Oui, je suis allé(e) en Afrique du Nord. J'ai passé deux semaines au Maroc.

Le collègue Qu'est-ce que tu as fait?

(*Say you started out from Marrakesh. You went travelling in the Atlas for a week.*)

Vous Je suis parti(e) de Marrakech. J'ai voyagé dans l'Atlas pendant une semaine.

Le collègue Et t'as vu les montagnes? Elles sont belles, n'est-ce pas?

(*Say yes, you visited lots of villages and finally ended up in Fez.*)

Vous Oui, j'ai visité beaucoup de villages, et finalement je suis arrivé(e) à Fès.

Le collègue Et le reste du temps?

(*Say you came back to the seaside, to Rabat.*)

Vous Je suis revenu(e) au bord de la mer, à Rabat.

Le collègue Et t'es rentré(e) quand?

(*Say you came back yesterday, but your friend and you are going to leave again for Belgium, in a few days.*)

Vous Je suis rentré(e) hier, mais mon amie et moi, nous allons repartir en Belgique, dans quelques jours.

Le collègue T'es [= Tu es] gâté(e). Qu'est-ce que vous allez faire là-bas?

(*Say your friend comes from the Ardennes. She wants to go back to Wallonia. She'd like to buy a house in the region.*)

Vous Mon amie vient des Ardennes. Elle veut retourner en Wallonie. Elle voudrait acheter une maison dans la région.

UNIT 10

Extrait 24

Christine Alain, tu as complètement transformé la maison?

Alain Transformé? Non, pas du tout. La construction est aussi simple qu'autrefois. J'ai voulu surtout que l'ambiance reste aussi calme qu'avant.

Christine Mais les pièces sont plus grandes, non?

Alain La cuisine, oui, un peu plus grande. On a pris une partie du vestibule pour l'élargir, mais les autres pièces sont aussi petites, huh, qu'autrefois!

Christine Mais qu'est-ce qui donne cette impression d'espace?

Alain On a refait la peinture – des couleurs plus claires partout, tu vois?

Christine Ah, je comprends. La fenêtre ici dans le salon est maintenant plus large, ce qui fait que cette pièce est moins sombre. C'est ça, non?

Alain Tout à fait. Avec la climatisation et le

double vitrage, toute la maison reste aussi fraîche mais le rez-de-chaussée est beaucoup moins sombre. On a même posé une nouvelle fenêtre côté nord, dans la salle à manger. On a une meilleure vue d'ici. Tu l'as remarquée?

Christine   Ah, oui, que c'est beau! Allons voir le reste de la maison.

Extrait 25

Charlotte   Oh, pardon, excusez-moi.

Alain   Tu es fatiguée, Charlotte. Tu te reposes moins en ce moment?

Charlotte   Peut-être, mais je sors beaucoup moins. Je n'ai pas le temps! Je dors moins aussi.

Alain   Pourquoi ça?

Charlotte   Ben, je passe toutes mes nuits à surfer sur la Toile.

Alain   La Toile?

Charlotte   Le Net, quoi, l'Internet. Je surfe sur le Net.

Alain   Ah bon!

Charlotte   C'est passionnant! J'envoie des méls. Je dialogue beaucoup plus avec mes amis maintenant – tous les jours – sur un 'chat'.

Alain   Sur un quoi?

Charlotte   Un 'chat'. Maintenant j'apprécie beaucoup plus la géographie. Je la détestais à l'école. J'ai rencontré des amis des quatre coins du monde sur les 'chats'.

Alain   Mais qu'est-ce que c'est un 'chat'?

Charlotte   'Chat': C – H – A – T, comme l'animal!

Alain   Comme l'animal...

Charlotte   Je fais des études aussi en ligne. Je ne travaillais pas assez à l'école.

Alain   Si, tu travaillais autant que moi.

Charlotte   Alain, je t'en prie – toi, tu

travaillais beaucoup moins que moi. Tous les enfants travaillaient plus que toi!

Alain   Mais dis donc – t'es gonflée, toi!

Charlotte   Fais des études en ligne, comme moi.

Alain   Huh, huh, huh, non, merci! La Toile, c'est pour les araignées! Pas pour moi!

Extrait 26

Maintenant, est-ce que vous sortez plus ou moins?

(*Say you go out much more.*)

Vous   Je sors beaucoup plus.

(*Say you must speak French as much as possible.*)

Vous   Je dois parler français autant que possible.

Et autrefois, vous travailliez moins en ligne?

(*Say yes, a lot less than now.*)

Vous   Oui, beaucoup moins que maintenant.

Est-ce que vous vous reposez autant maintenant?

(*Say you sleep more at night.*)

Vous   Je dors plus la nuit...

(*Say but you rest less during the day.*)

Vous   ... mais je me repose moins pendant la journée.

Extrait 27

Alain   Ma première voiture – ah oui – je m'en souviens très bien – c'était une 2CV. Je l'ai achetée d'occasion il y a... euh pfff... longtemps – une quarantaine d'années – quand j'étais étudiant. Comme toutes les 'Deuches', elle était grise. Le toit et les sièges étaient en toile. On pouvait sortir les sièges – c'était très pratique pour les pique-niques, huh huh!

Ma voiture actuelle, c'est une C5. Elle est bien sûr plus performante, plus confortable et franchement beaucoup – huh, huh – moins laide que la 2CV. Mais, quand j'ai revendu ma 'Deuche' en 1972, j'étais triste. Je te jure que j'avais les larmes aux yeux! Ah, c'était ma meilleure amie!

Extrait 28

Jean-Claude

Question Votre première voiture, elle était comment?

Jean-Claude C'était une Dauphine que j'avais achetée il y a très longtemps et qui n'a jamais marché.

Question Vous l'avez achetée neuve ou d'occasion?

Jean-Claude Je l'ai achetée d'occasion. Elle était très vieille.

Question Vous l'avez revendue?

Jean-Claude Je n'ai pas réussi à la revendre.

Question Votre voiture actuelle est très différente?

Jean-Claude Oui, elle est très différente. C'est une voiture japonaise, plus puissante, donc plus rapide. Moins polluante bien sûr et plus chère. Plus confortable aussi. Peut-être moins maniable car elle est plus grosse mais elle est beaucoup plus agréable à conduire.

Extrait 29

Agnès

Question Est-ce que Grenoble a beaucoup changé?

Agnès La ville de Grenoble a beaucoup changé. Il y a de moins en moins d'espaces verts. C'est une ville très polluée et, euh, c'est pour ça qu'ils ont installé le tramway, pour, euh, éviter aux gens de prendre leur voiture.

Question Est-ce qu'il y a plus ou moins, euh, de grandes surfaces maintenant?

Agnès Il y a plutôt plus de grandes surfaces. Il y a au moins deux grandes surfaces qui ont ouvert en dix ans.

Philippe

Question La Rochelle est très différente maintenant?

Philippe Oui, elle est beaucoup plus grande. Il y a beaucoup plus de jeunes puisque maintenant il y a une cité étudiante et elle est beaucoup plus polluée, malheureusement, puisqu'il y a plus d'immeubles, plus de voitures.

Question Est-ce qu'il y a de plus en plus de circulation, de problèmes de circulation?

Philippe Oui, beaucoup de problèmes de circulation et il est très difficile de se garer et de circuler dans les petites rues du centre-ville. Il y a plus de grandes surfaces. Ça c'est beaucoup mieux.

Extrait 30

Parlez dans les pauses.

> ### Exemple
> (Il y avait autrefois beaucoup de cafés? – Oui, plus.)
>
> **Vous** Il y avait plus de cafés.

(Il y avait autrefois beaucoup de circulation? – Non, moins.)

Vous Il y avait moins de circulation.

(Il y a maintenant beaucoup d'espaces verts? – Autant.)

Vous Il y a autant d'espaces verts.

(Il y avait autrefois beaucoup d'immeubles? – Non, moins.)

Vous Il y avait moins d'immeubles.

(Il y a maintenant beaucoup de transports en commun? – Oui, plus.)

Vous Il y a plus de transports en commun.

Extrait 31

Charlotte Alain, tu bois moins de café maintenant?

Alain Euhm... non... autant, mais je prends moins de sucre avec mon café. Et je bois de plus en plus d'eau minérale.

Charlotte Bon, mais tous ces produits au beurre que tu consommais – tu achètes des produits allégés maintenant?

Alain Ah oui, j'achète plus de produits allégés – mais malheureusement je consomme autant de produits au beurre!

Charlotte Alain! Tu fais un peu plus d'exercice, non?

Alain Alors, là, je peux répondre 'oui'. Je fais des randonnées maintenant.

Charlotte Bravo! J'espère que tu manges plus de produits frais – des fruits et des légumes?

Alain Oui, je mange, euh, de plus en plus de tartes aux fraises et de choux à la crème!

Charlotte Sois sérieux, Alain. Dis-moi que tu fais un petit effort – tu fumes moins de cigarettes?

Alain Et toi, Charlotte – je suis sûr que tu manges, comme moi, de moins en moins de ces petits gâteaux au chocolat qu'on adorait quand on était enfants.

Charlotte Non, c'est mon faible, j'adore le chocolat. Écoute, j'ai une bonne idée! Si on allait ensemble au gymnase – c'est à cinq minutes à pied.

Alain Et moi, j'ai une meilleure idée – si on y allait en voiture – mais demain!

Extrait 32

Charlotte Personnellement, je dis 'non merci' au bon vieux temps! Autrefois, la pauvre maman passait tout son temps dans la cuisine parce que toute la famille rentrait manger à la maison à midi.

Alain Oui, mais...

Charlotte On travaillait certainement plus dur. Les 'trente-cinq heures' n'existaient pas – les congés payés non plus! On faisait des travaux manuels – pas intéressants du tout.

Alain Au contraire...

Charlotte Et qu'est-ce qu'on faisait pour s'amuser? Rien, vraiment rien!

Alain Si, généralement on...

Charlotte On sortait difficilement parce qu'on n'avait pas de voiture... pas de voiture! Et on mangeait très rarement au restaurant.

Alain Peut-être mais...

Charlotte Ah, parlons des vacances. Quelles vacances? Au bon vieux temps, on voyageait très lentement – impossible de partir régulièrement en week-end au ski, hein, en Espagne, en Italie...

Alain Précisément, mais...

Charlotte Et la communication – avec le portable et l'Internet, on peut répondre immédiatement, oui, i-mmé-di-ate-ment aux messages.

Alain Oui, d'accord on...

Charlotte Un grand merci à toutes ces machines qui ont complètement transformé notre vie... Hein, Alain? Ben Alain, tu ne réponds pas?

Alain Non!

Charlotte Huh! C'est impossible de discuter avec toi!

Extrait 33

Parlez dans les pauses.

> *Exemple*
>
> **Vous entendez** voyager – vite – de plus en plus
>
> **Vous dites** Aujourd'hui on voyage de plus en plus vite.

(Voyager – vite – de plus en plus)

Vous   Aujourd'hui on voyage de plus en plus vite.

(Sortir – souvent – de plus en plus)

Vous   Aujourd'hui on sort de plus en plus souvent.

(Travailler – dur – de moins en moins)

Vous   Aujourd'hui on travaille de moins en moins dur.

(Communiquer – facilement – de plus en plus)

Vous   Aujourd'hui on communique de plus en plus facilement.

(Manger – de mieux en mieux)

Vous   Aujourd'hui on mange de mieux en mieux.

Extrait 34

Question   Qu'est-ce que vous faites maintenant, grâce à votre ordinateur, que vous ne faisiez pas avant?

Jean-Claude

Jean-Claude   J'envoie des emails et j'en reçois. Je contacte des amis. Avant les contacts étaient téléphoniques. Je fais des recherches sur des sites qui m'intéressent, par exemple de sport, je contacte des sites étrangers. Avant, je ne pouvais pas immédiatement obtenir une information que je souhaitais. Aujourd'hui je vois à la télévision une émission qui fait référence à un site, je peux immédiatement me connecter sur le site et avoir l'information.

Pascal

Pascal   Grâce à l'ordinateur, comme j'habite loin de ma banque, je peux consulter directement par Internet le site de ma banque.

Question   Et avant, qu'est-ce que vous faisiez?

Pascal   Avant, j'étais obligé d'écrire, d'envoyer une lettre manuscrite.

Maryse

Maryse   Avec l'ordinateur, maintenant, je peux envoyer des courriers electroniques a mes amis, à ma famille. Avant, je devais envoyer des courriers par la poste.

Question   Depuis que vous avez accès à l'Internet, est-ce que vos habitudes ont changé en ce qui concerne les achats?

Maryse   Pour moi, pas du tout, je n'achète rien par Internet.

Extrait 35

Charlotte   Ah! Ça fait cinq minutes que je patiente... Enfin!

L'employé   Biblionet, bonjour. Je pourrais avoir votre numéro de client s'il vous plaît.

Charlotte   Euh, oui, c'est ACL 269. J'ai passé une commande par Internet, euh, fin mai, mais mon livre n'est toujours pas arrivé.

L'employé   Un petit moment s'il vous plaît. Ah! Voilà. Madame Béart. Nous avons expédié un CD il y a trois jours. Vous l'avez bien reçu, non?

Charlotte   Oui, oui mais ça fait trois semaines que j'attends mon livre. Je vous ai envoyé deux courriels. Vous ne m'avez même pas répondu. C'est vraiment inacceptable!

L'employé   Je suis désolé, madame. Voyons... ah... voilà le problème. Nous n'avons plus d'exemplaires de ce livre. Si vous pouviez attendre encore deux ou trois jours...

Charlotte   Attendre encore? Ah ça non! Pourriez-vous me rembourser tout de suite, s'il vous plaît? Je voudrais annuler la commande. Je dois vous dire que je ne suis pas du tout satisfaite de votre service.

L'employé   Toutes nos excuses, madame. Alors, euh... la référence...

Charlotte   ACL...

Extrait 36

Parlez dans les pauses.

> **Exemple**
>
> (Dix minutes – patienter)
>
> Ça fait dix minutes que je patiente.

(Dix minutes – patienter)

Vous   Ça fait dix minutes que je patiente.

(Quinze jours – attendre le paquet)

Vous   Ça fait quinze jours que j'attends le paquet.

(Un quart d'heure – faire la queue)

Vous   Ça fait un quart d'heure que je fais la queue.

(Trois semaines – mettre cette crème)

Vous   Ça fait trois semaines que je mets cette crème.

(Une demi-heure – chercher mon numéro de client)

Vous   Ça fait une demi-heure que je cherche mon numéro de client.

(Huit jours – attendre votre réponse)

Vous   Ça fait huit jours que j'attends votre réponse.

Extrait 37

Parlez dans les pauses.

L'employée   Commande Exprès, bonjour. Je peux vous aider?

(*Say you placed an order three weeks ago.*)

Vous   J'ai passé une commande il y a trois semaines.

(*Say you had to return some goods.*)

Vous   J'ai dû renvoyer des articles.

L'employée   Excusez-moi, je pourrais avoir votre numéro de client, s'il vous plaît?

(*Say it's E19.*)

Vous   C'est E19.

L'employée   Merci.

(*Say you've sent them three e-mails.*)

Vous   Je vous ai envoyé trois courriels.

(*Say they haven't even answered you.*)

Vous   Vous ne m'avez même pas répondu.

(*Say that's really unacceptable.*)

Vous   C'est vraiment inacceptable.

L'employée   Je suis vraiment désolée. Si vous pouviez attendre encore deux ou trois jours...

(*Say no, you would like to cancel the order.*)

Vous   Non, je voudrais annuler la commande.

(*Ask if they could reimburse you please.*)

Vous   Pourriez-vous me rembourser, s'il vous plaît?

L'employée   Bien sûr. Toutes nos excuses.

(*Say you are very disappointed.*)

Vous   Je suis très déçu(e).

Extrait 38

Alain   Bonsoir, excusez-moi de mon retard. Je suis venu à vélo.

Charlotte   C'est pas grave. Mais pourquoi est-ce que tu n'as pas pris la voiture? Tu voulais faire un peu d'exercice, non? Oh bravo, Alain!

Alain   Euh non, désolé, Charlotte. J'ai eu des problèmes avec la voiture. Voilà pourquoi je suis à vélo!

Charlotte   Ah bon! Tu sais, on regardait mon album de vieilles photos. Tu te rappelles cette photo, Alain? Il y a des clowns, on était au cirque.

Alain   Fais voir. Ah, oui, le cirque. Ah, que je n'aime pas ça!

Charlotte   Moi, par contre, j'ai toujours adoré ça! Quand j'étais petite, je voulais travailler au cirque comme trapéziste.

Alain   Toi, trapéziste? Tu plaisantes, non? Tu te rappelles le jour où on est allés au Pont du Gard? Tu as refusé de le traverser parce que tu avais peur. Tu pleurais.

Charlotte   Non, Alain, je n'avais pas peur. J'ai compris ce jour-là que je souffrais de vertige, oui, de vertige. Impossible, donc, de devenir trapéziste, hein? C'est pour ça que j'ai pleuré.

Alain   Et c'est ainsi que tu es devenue, euh, dompteuse de lions?

Charlotte   Et c'est ainsi, Alain, que je suis devenue infirmière, comme tu le sais très bien. Mais ça, c'est une autre histoire!

Extrait 39

Quand est-ce que Saint-Exupéry a créé le personnage du Petit Prince?

(*Say in the forties.*)

Vous   Dans les années quarante.

Saint-Exupéry est né quand?

(*Say about a hundred years ago.*)

Vous   Il y a une centaine d'années.

Il a rédigé des livres toute sa vie?

(*Say for about fifteen years.*)

Vous   Pendant une quinzaine d'années.

Quand est-ce qu'il a disparu en mission?

(*Say about sixty years ago.*)

Vous   Il y a une soixantaine d'années.

On a publié *Vol de nuit* il y a longtemps?

(*Say in the thirties.*)

Vous   Dans les années trente.

Extrait 40

Maryse

Question   Quand vous étiez petite, est-ce que vos parents vous lisaient des contes?

Maryse   Non, malheureusement, mes parents ne me lisaient pas de contes.

Question   Et vous-même, est-ce que vous lisiez des contes?

Maryse   Oui, quand j'ai su lire, je... je lisais des contes.

Question   Lesquels?

Maryse   Les contes de Grimm, d'Andersen, de Perrault...

Question   Et est-ce que, quand vos enfants étaient petites, vous lisiez des contes à vos filles?

Maryse   Je lisais énormément de contes à mes filles.

Question   Quelles fables appreniez-vous à l'école?

Maryse   À l'école, j'apprenais les fables de La Fontaine.

Extrait 41

Parlez dans les pauses.

> **Exemple**
>
> **On dit**   Chaque semaine ma sœur achetait un magazine.
>
> **Vous dites**   Mais je ne sais plus lequel.

Chaque semaine ma sœur achetait un magazine.

Vous   Mais je ne sais plus lequel.

Je savais réciter plusieurs fables de La Fontaine.

Vous   Mais je ne sais plus lesquelles.

Notre professeur nous lisait des contes.

Vous   Mais je ne sais plus lesquels.

Mes frères préféraient les BD.

Vous   Mais je ne sais plus lesquelles.

Ma grand-mère me chantait une chanson très drôle.

Vous   Mais je ne sais plus laquelle.

Extrait 42

Écoutez les questions. Repérez les temps des verbes.

Question 1   Quand vous étiez jeune, est-ce qu'il y avait un personnage célèbre que vous admiriez? Un chanteur, peut-être, ou un acteur?

Question 2   D'après vous, quelles étaient ses qualités principales?

Question 3   Plus tard, est-ce que cette personne a fait quelque chose qui vous a vraiment impressionné(e)?

Question 4   Est-ce que vous avez rencontré ce personnage?

Question 5   Qu'est-ce qu'il ou elle faisait à ce moment-là?

Question 6   Et maintenant, est-ce que vous l'appréciez toujours?

Extrait 43

Alain   André Citroën a construit son usine à Paris en 1919. D'abord, ses voitures ont connu un énorme succès. Mais comme André dépensait trop d'argent pour développer de nouveaux modèles, il accumulait beaucoup de dettes. Il a donc dû donner son usine à l'entreprise Michelin en 1934.

Christine   Michelin, comme les pneus?

Alain   Oui, c'est ça. Un des dirigeants chez Michelin s'appelait Boulanger, Pierre-Jules Boulanger. C'est lui qui a conçu l'idée d'une petite voiture solide mais pas chère – une petite voiture pour transporter les produits agricoles. C'est ainsi que la future 2CV est née.

Christine   Alors, André Citroën n'a pas dessiné la 2CV. Hé bé!

Alain   Voilà! Le dernier prototype est resté caché pendant la guerre. Ensuite, en 48, la 2CV a fait son début à Paris au Salon de l'automobile. Mais elle était... huh, huh... laide. Voilà pourquoi les journalistes se sont moqués d'elle. Le public, par contre, l'a aimée tout de suite.

Christine   Après, on a fabriqué des 2CV pendant, euh, pendant très longtemps, non?

Alain   Quarante ans! Jusqu'en 88.

Christine   Vive la 2CV!

Les autres   Oui, oui, vive la 2CV!

Extrait 44

La première femme   Le poste du docteur Lemoine est toujours occupé? Ah, mais, ça fait plus de cinq minutes que je patiente. C'est très difficile – j'appelle de mon bureau.

Le premier homme   Écoutez, on fait la queue ici depuis des heures! Pour payer quelques litres d'essence – c'est tout à fait inacceptable, ça!

La deuxième femme   Est-ce qu'il est possible de voir le pharmacien, s'il vous plaît? Je mets cette crème depuis quinze jours, mais j'ai toujours mal aux pieds.

Le deuxième homme   Pardon, madame, c'est ici la rue du Vieux Pont? Ça fait un quart d'heure que je cherche la Banque de Provence.

Acknowledgements

Grateful acknowledgement is made to the following sources for permission to reproduce material within this product.

Page 5: © Corbis; pages 13 and 14: Courtesy of Films Distribution; pages 21, 32 example, c, d, e and g: © Photodisc; page 22: © World Religions Photo Library/Alamy; page 23: Courtesy of Marie Laurence Harot/France 3; page 32 f: © Sally and Richard Greenhill/Alamy; page 47 top right: © Jim Steinhart; page 47 bottom right: © Brian Atkinson/Alamy; page 47 left and 50: © Alamy; page 72: Copyright © Images-of-France; page 77 and page 111 (bottom): Copyright © Citroën Communication; page 81: Copyright © Photo RMN; page 103: from www.ac-amiens.fr/college80/stexupery_bray/ saintexupery.htm; page 109: Copyright © PA; page 111 (top): Copyright © AP Photo/Lionel Cironneau.